Rimas
y
poemas

◆ COLECCIÓN FONTANA ◆

Gustavo Adolfo Bécquer

Rimas
y
poemas

Edición
JORGE GARZA CASTILLO

Prólogo y presentación
FRANCESC L. CARDONA
Doctor en Historia y Catedrático

EDICOMUNICACION ,S.A.

Rimas y poemas

© Edicomunicación, s. a., 1994

Diseño de cubierta: Quality Design

Edita: Edicomunicación, s. a.
          C/. de las Torres, 75.
          08042 Barcelona (España)

Impreso en España / Printed in Spain

I.S.B.N: 84-7672-613-9
Depósito Legal: B-24237-94

Impreso en:
TALLERES GRÁFICOS SOLER, S.A.
Enric Morera, 15
Esplugues de Llobregat (Barcelona)

ESTUDIO PRELIMINAR

Bécquer: el hombre y su mundo

Gustavo Adolfo Bécquer nació en Sevilla el 17 de febrero de 1836, durante la regencia de Mª Cristina de Borbón, cuarta esposa de Fernando VII, cargo que ostentaba por ser Isabel, la heredera, todavía una niña. El país ardía en la guerra civil entre los liberales que apoyaban a las dos mujeres y los carlistas que eran valedores del pretendido don Carlos, hermano del fallecido Fernando VII. Un gaditano, Juan Álvarez Méndez (Mendizábal), intentaba poner orden a la maltrecha hacienda española, a la vez que ganar la guerra por los liberales.

El padre del futuro escritor, José Mª Domínguez, era un pintor costumbrista que desempolvó un antiguo apellido familiar de origen flamenco-nórdico Vequer o Becker, al españolizarlo Bécquer, que fue con el que se quedaría el poeta. Su madre fue doña Joaquina Bastida y Vargas. Además de Gustavo, engendró siete hijos más. Valeriano, también pintor, fue el inmediato mayor a Gustavo y el que más frecuentó éste hasta su fallecimiento. De carácter abierto y emprendedor, fue la cara opuesta de Gustavo Adolfo.

José Mª Domínguez muere en 1841. Su esposa sólo le sobreviviría seis años. Se hace cargo de ella su tío materno, Juan de Vargas, y sobre todo su madrina Manuela Monahay, mujer culta que gozaba de cierta posición y en cuya casa Gustavo trabó contacto por primera vez con la literatura romántica a través de sus obras, en boga en aquellos momentos.

Fracasados sus comienzos en la Escuela de Náutica de San Telmo, más que por el cierre del establecimiento, por la nula vocación de Gustavo por las cosas de la mar, inició rudimentos de dibujo junto a su hermano Valeriano, y después música. Su inestabilidad emocional le llevan finalmente a la literatura. Espoleado por sus amigos y por su hermano Valeriano, marcha en 1854 a Madrid en pos de la fama y la gloria.

En la época efímera del Bienio Progresista (1854-56) y en 1855 fallecerá su madrina, de forma que ya no le queda nadie que le ligue a su tierra natal. El cólera morbo hace estragos en las principales ciudades españolas. Gustavo se dedica a muchas cosas, desde colaboraciones con el seudónimo Adolfo García de Luna, hasta el lanzamiento por fascículos, con su hermano Valeriano, de una *Historia de los Templos de España*. Contrae una «horrible enfermedad» (tuberculosis) y en la convalecencia se enamora quizá de una joven que discretamente le atisba desde un balcón. ¿O fue producto de su calenturienta imaginación la que plasmó en sus *Rimas*?

En mayo de 1861 se casa en Madrid con Casta Esteban Navarro. Para subsistir encontró un oscuro empleo en el departamento de Bienes Nacionales. Entre expediente y expediente, Bécquer dejaba volar su imaginación escribiendo versos en las propias minutas que le presentaban e incluso dibujando escenas sobre los mismos. Se dice que cierto día entró el propio director de la sección y, dirigiéndose a Bécquer, que no se había percatado de la circunstancia, le preguntó qué significaba una de aquellas escenas: Éste, sin darse cuenta, le fue explicando que aquel dibujo representaba a la Ofelia de *Hamlet*, un sepulturero, etc., etc., aquí esto otro, allá… Y el director sin inmutarse le contestó: «Y aquí un señor que inmediatamente se irá a la calle…» Y Bécquer fue cesado.

Suerte que pronto su situación pudo consolidarse gracias a la aparición del *Contemporáneo,* en el que iba a colaborar intensamente. Había iniciado ya la composición de sus *Rimas* (la primera salió a la luz pública en 1859). Paralelamente aparecen hasta siete *leyendas.* En las *Cartas literarias a una mujer* y tras la lectura de *La Soledad,* de Augusto Ferrán, deja entrever de nuevo la poesía de inspiración popular y de indudable raíz de su terruño andaluz (1861). Pasa frío en Madrid y su salud se resiente, lleno de melancolía. Con frío «hasta en el alma» como él mismo escribiera, recuerda el brillante sol de la campiña andaluza y siente que sus fuerzas le abandonan.

A poco del nacimiento de sus hijos, Gustavo Adolfo y Jorge Luis, se traslada al monasterio de Veruela para oxigenarse al pie de la Sierra del Moncayo, y desde allí envía a *El Contemporáneo* las *Cartas desde mi celda.* De regreso a Madrid, el ministro de la Gobernación del Gabinete Narváez, González Barbo, le nombra censor de novelas con un buen sueldo fijo. En 1866, cesante del cargo, actúa como director de «El Museo Universal» y, por solicitud del propio González Barbo, ofrece a éste un manuscrito de sus *Rimas* para su publicación a expensas del propio ministro.

La desgracia vuelve a abatirse sobre el pobre Gustavo, la Revolución de 1868 le deja sin valedor. Gustavo rompe con su mujer y se va a vivir con dos de sus hijos (el tercero nacería poco después) y con la familia de Valeriano a Toledo. Vuelve a Madrid con su hermano, por haber sido llamados ambos para la redacción de la *Ilustración,* Gustavo para dirigirla y Valeriano como dibujante. Incluso la mujer de Gustavo se reconcilia con él y parece que la paz y la felicidad les ha llegado ya definitivamente, pero será por poco tiempo...

En septiembre de 1870 fallece Valeriano, el mazazo es fatal; días antes de expirar aquel año (concretamente el 22 de diciembre), lo hacía Gustavo Adolfo, cuando preparaba la edición de sus obras completas. Como una premonición, poco antes, el poeta había compuesto el melancólico relato «Las hojas secas», con un inspirado y sublime lirismo que nadie ha podido igualar.

Muerte de Bécquer según la prensa y según sus amigos

Los periódicos apenas dedicaron espacio a la luctuosa noticia. Uno de los diarios más importantes, *La Correspondencia* de España, publicó tan sólo la siguiente nota:

> «Hoy a las diez de la mañana, ha fallecido en esta Corte el distinguido y estimable escritor don Gustavo Adolfo Bécquer, bien conocido en la República de las Letras.
> Hace mañana tres meses que murió su hermano, el apreciable pintor don Valeriano. La pérdida de ambos es bien sensible. Mañana a las once será el entierro, saliendo de la calle de Claudio Coello, barrio de Salamanca. Sirva este aviso para sus amigos, pues no se reparten esquelas.»

Algunos amigos del poeta cuentan como fueron sus días postreros. Eusebio Blasco da un testimonio desolador:

> «...en los últimos días de la enfermedad fui a ver a mi pobre amigo, y su interior me hizo desear que se muriera pronto... La casa descuidada, el cuarto en desorden, la compañera del poeta que no sabe hablaros de nada, el enfermo solo y entregado a desesperación sorda...»

Y Ramón Rodríguez Correa subrayó:

> «¡Extraña enfermedad y extraña manera de morir fue aquélla! Sin ningún síntoma preciso, lo que en su final se diagnóstico como pulmonía se convirtió en hepatitis, y a

juicio de otros se volvió en pericarditis; y entretanto el enfermo, con su cabeza firme y con su ingénita bondad, seguía prestándose a todas las experiencias, aceptando todos los medicamentos y muriéndose poco a poco.»

Estudio especial de las *Rimas*

A su muerte Gustavo Adolfo Bécquer es todavía un escritor desconocido del que sólo algunas críticas hablan de la «desaparición de una promesa en ciernes». Cuando sus amigos costeen la primera edición de sus obras completas, que él estaba preparando antes de su temprana desaparición, saltará pronto y con toda justicia a la fama.

Profundizando en su biografía, llegamos a la conclusión de que las *Rimas* becquerianas son escritas por su autor entre 1859 y los primeros años de la década de 1860. A ellas hay que añadir el nostálgico e inacabado manuscrito *Libro de los gorriones,* de 1868, en el que consigna de memoria las rimas que recuerda del manuscrito que entregara a González Barbo y que los avatares históricos hicieron desaparecer. A ellas les coloca una «Introducción sinfónica» en prosa. Al sumarse las recogidas en las ediciones de periódicos de la época, las *Rimas* rebasan el número primero de 79. Número que, sin embargo, conservamos para su desglose.

Rimas I - XII, dedicadas a la creación poética.
Rimas XII - XXIX, amor esperanzador y triunfante.
Rimas XXX - LI, amor doliente y desilusionado.
Rimas LII - LXXIX, la soledad y la desesperación.

En 1856 había muerto el gran poeta, fiel exponente del espíritu romántico alemán, Heinrich Heine (nacido en 1797).

Sus poemas cortos, de tono intimista con ritmo semejante a los *lieder* o cantos populares de su tierra, fueron traducidos al francés y pronto al castellano.

Un grupo de poetas españoles, entre ellos el traductor de Heine, Eulogio Florentino Sanz, imitan al alemán, preparando un ambiente prebecqueriano superador del decadente romanticismo de la época y en el que se inscriben también Augusto Ferrán (otro traductor de Heine), José Selgas, José Mª de Larrea y chilenos como Guillermo Matta y Guillermo Blest.

El proceso culminará con Bécquer y sus *Rimas*, íntimas, breves, sentimentales, retazos de la canción popular y ausentes de retoricismos. El tema central es el amor. Bécquer, huérfano muy temprano, volcó su cariño de sangre en su hermano Valeriano, pintor goyesco, amante de la luz y el color, y del claroscuro, que Gustavo Adolfo traspondrá a sus *Rimas*.

En 1858, Bécquer se había enamorado apasionadamente de Julia Espín, hija de un director del Conservatorio, a la que dedicaría algunas de sus más inspiradas composiciones. Aquel amor se vio truncado por el comienzo de la «terrible enfermedad» que años más tarde llevaría al sepulcro al poeta: la tuberculosis. Tres años después el idilio se rompe. Bécquer se encuentra solo en la capital, está esperando a Valeriano y su matrimonio con Casta Esteban todavía no se ha realizado. Termina entonces su crítica al libro de Augusto Ferrán, *La Soledad*. En ella define la poesía «como un acorde que se arranca de un arpa y se quedan las cuerdas vibrando con su zumbido armonioso».

Para Bécquer la poesía se funde con su concepción del mundo y surge de un proceso creador emocional, intenso y profundo, en el que el poeta se mueve tan sólo por los sentimientos y las emociones sin que deje intervenir a la razón. Ese momento vivido lo guarda el artista con el fin de dar contenido a la expresión. Todos los seres humanos poseen sentimientos.

Sólo los artistas como seres elegidos pueden almacenarlos en su interior y darles la necesaria expresión para los que les rodean.

Pero cuando Bécquer desea materializar aquellos sentimientos guardados, la dificultad cobra cuerpo, porque la lengua no expresa todo lo que quisiera manifestar. Bécquer pretende que sus palabras sean más que palabras, sean «suspiros, risas, colores, notas». De esta forma supera el efectismo tremendista romántico y entra de lleno en el mundo simbolista, como precursor de una nueva estética y abriendo de par en par las puertas de la poesía contemporánea.

En el mundo becqueriano la mujer ocupa un puesto de privilegio por su belleza, que podrá ser arma del poeta o, al ser utilizada contra él, transformada en factor negativo y nefasto. El amor es soñado y vivido en el deseo, suspirado en voz baja como un secreto entre dos, fruto agridulce de una inspiración viril y casta a la vez.

En cuanto a la métrica, Bécquer utiliza para sus *Rimas* formas nada complicadas, se inclina por la asonancia y las estrofas de acervo popular. Por esta sencillez comporta una acabada selección en el vocabulario y las metáforas. Revoluciona los clásicos atendiendo al ritmo con mimada dedicación, lo propio realiza con las estrofas que con la estructura de forma simétrica, en muchos casos enumerativas, de cierre, etc. Así evita las resonancias y rotundidades y consigue ofrecer unidad al fondo y la forma.

Bécquer se sirve de un extenso repertorio de metros: los versos más usados son los de cinco hasta doce sílabas y en pocas ocasiones del bisílabo y el tetrasílabo. Sin embargo, se aparta de la utilización entonces corriente del endecasílabo y el alejandrino. Únicamente veinticinco de sus poesías no están constituidas por dos o más clases de metros. De las veinte variedades de estrofas regulares de las *Rimas*, nueve están formadas por combinaciones de endecasílabos y heptasílabos.

Sobresale en ellas una modalidad de «romance» muy original, que utiliza series uniformes asonantadas de cuatro versos. La corta vida del poeta (treinta y cuatro años), segada en flor por la tuberculosis, había constituido en realidad un fracaso sentimental y humano. No es de extrañar así que además del amor, el sueño y la muerte sean los otros dos temas más reflejados en su poesía. Temas por otro lado eternos como el de la fugacidad de la belleza (el *carpe diem* latino), todos ellos con resonancias medievales, repetidos por nuestros ascetas y místicos y que culminan en el Siglo de Oro.

Serán los modernistas de fines del siglo XIX y comienzos del XX los que iniciarán las reivindicaciones de los valores poéticos becquerianos, extraordinariamente superiores a los versos ripiosos de un Campoamor, tenidos hasta entonces en gran estima, o a las retóricas disertaciones de un Núñez de Arce. Pronto Juan Ramón Jiménez y Antonio Machado reconocerán a Gustavo Adolfo como su precursor. Guillén, Salinas, Lorca y Alberti, la generación de 1927, o de 1925, como quieran otros, no ocultan su admiración por el autor de las *Rimas*. El propio Dámaso Alonso, el mejor crítico del momento y no menor poeta, escribirá que «Bécquer es el creador de uno de los mundos poéticos más simples, más hondos, más etéreos, más irreales y extraordinarios de los que la humanidad ha producido».

Así pues el papel histórico del poeta andaluz como precursor del lirismo novecentista es en la actualidad indiscutible. A este respecto Luis Cernuda concluirá que «desempeña en nuestra poesía moderna un papel equivalente al de Garcilaso en nuestra poesía clásica: el de crear una nueva tradición que llega a sus descendientes».

Pocos poetas han llegado tan profundamente a lo más íntimo de su ser y nos han trasmitido sus vivencias. Entre los de su tiempo debemos mencionar, como espíritu afín, el de la melancólica y dulce poetisa gallega Rosalía de Castro (1837-1885).

Las *Rimas* y sus antecedentes

Bécquer fue considerado como el último poeta romántico, un poeta posromántico o el primero de una nueva estética. Las raíces de ella pueden rastrearse en Arolas, Gil y Carrasco, Carolina Coronado... Vicente Sainz Pardo, José María de Larrea...

A continuación hay que citar al grupo que colaboró con el propio escritor en la primera publicación madrileña, *El alma de Señoritas y Correo de la Moda:* los Antonio de Trueba, Vicente Barrantes y José Selgas. Singularmente Antonio de Trueba fue autor de un *Libro de cantares* (1852). Vicente Barrantes escribió *Baladas españolas* (1854) a la manera germánica. También José Selgas se tenía ya en 1850 como germanizante. Una doble corriente pues, popular y germanizante, impulsará las primeras rimas.

Figura importante es la Eulogio Florentino Sanz, que tradujo a Heine en 1857 y publicó sus poesías en *El Museo Universal* en 1857, tras pasar dos años como diplomático en Berlín (1854-56) y familiarizarse con la lírica germánica. Heine y sus traducciones fueron trascendentales en la lírica becqueriana y en los círculos poéticos madrileños de la época.

Sin embargo, de todos los poetas prebecquerianos, Ángel María Dacarrete es, a partir de 1936, el más revalorizado. Traductor e imitador de Heine, es también autor de cantares de tono popular, influyendo en él asimismo autores germánicos como Goethe y Schiller, Matthisson y Rückert.

El 31 de octubre de 1857, Dacarrete publicaba en *La Ilustración Hispano-Americana* el poema «Entresueños» que luego apareció en *La América* con el título «Ensueño»:

No sé decir por qué... ¡ya tanto hacía
que no soñaba en tí, sino despierto!...
¡No sé decir por qué la última noche
te vi entre sueños!

Tan hermosa a mis ojos como siempre;
tan dulce y pura como en otro tiempo;
¡pero estabas tan pálida, tan triste,
que al recordarlo tiemblo!

Todo un mundo de amor y de pesares
nuestras mutuas miradas se dijeron;
¡mas, ni siquiera nuestros nombres,
nada murmuró el eco!

Inmóviles los dos y silenciosos,
apoyada la mano sobre el seno,
sonreímos... ¡Yo estaba al despertarme
en lágrimas deshecho!

Creemos que los comentarios huelgan, sobre todo si re-
calcamos que en 1857, fecha de impresión de esta poesía, las
Rimas todavía estaban lejos y curiosamente será después Dacarrete el que reciba la influencia becqueriana.

Hispanoamérica

Polarizan esta influencia la obra de dos poetas chilenos
Guillermo Matta y Guillermo Blest Gana, durante la década
de 1850, autores de una poesía melancólica y musical con una
métrica en la que combinan endecasílabos y heptasílabos
asonantados, tan frecuentes después en Bécquer.

Recordemos de G. Blest Gana sus *Poesías,* publicadas primero en Santiago de Chile en 1854, así como sus colaboraciones desde 1857 en la revista *La América.* En 1859 vendría a España.

Guillermo Matta realizó unas esmeradas traducciones de Goethe y de Schiller. Poco después de llegar a España salió a la calle la segunda edición de sus *Poesías,* en dos volúmenes. Asimismo colaboró también en *La América.*

Augusto Ferrán

Que ya hemos conocido como amigo de Bécquer. Más que un precursor es un compañero. Narra Julio Nombela que conoció a Ferrán en octubre de 1859 en la imprenta de Fontanet, mientras imprimía su periódico *Las Artes y Las Letras.* Ferrán, por su parte, había comenzado la edición del semanario *El Sábado.* Tenía empeño de divulgar en nuestro país la literatura alemana, que tras cuatro años de estancia en Munich había llegado a conocer a la perfección.

Nombela y Ferrán viajan a París y allí conoció este último, por intermedio de su amigo, algunas composiciones de Bécquer. Ferrán decide conocerle y solicita a Nombela una carta de presentación para Gustavo, afincado ya entonces en Madrid. Cuando se conocieron personalmente la simpatía fue mutua. Bécquer elogió la obra de Ferrán por su conocimiento de la poesía alemana y popular y su talento, capaz de originar un nuevo estilo.

Sea como fuere, lo cierto es que Ferrán, más que un precursor de Bécquer, es una figura, como lo será también Rosalía de Castro, formando así el famoso trío de los grandes líricos españoles posrománticos.

Conclusión

Bécquer, Ferrán y sus amigos hallaron en la poesía germana no sólo un nuevo timbre delicado, vago y envolvente, y a la vez íntimo y directo, sino además un ejemplo de poesía culta que se enriquece con la incorporación de los tonos populares de su propio país. El grupo españoliza la experiencia alemana. Al *lied* clásico alemán, los españoles responderán con la *soleá*, el castizo cantar andaluz.

Meritorio esfuerzo de creación en busca de originalidad que rastrea también las propias raíces tradicionales. Preocupación subyacente durante el siglo XIX en las letras hispanas oculta por el estruendo y fuegos de artificio de las figuras románticas más significativas.

En Gustavo Adolfo Bécquer se nos ofrecen tres períodos en cuanto a su trayectoria poética: uno primero que llega hasta 1855 y que puede denominarse etapa sevillana, con influencias clásicas o neoclásicas. F. Rodríguez Zapata será su maestro, junto con los románticos. De 1855 a 1860 asistimos a la influencia posromántica a través de Selgas, Trueba, etc., junto con la influencia germana: Heine, Goethe, Schiller, los compatriotas Dacarrete, Ferrán, Florentino Sanz, Ruiz Aguilera, etc.; y a partir de 1860 el tono dolorido se refleja junto al cantar andaluz y el *lied* germánico.

Así pues, en Bécquer hay una síntesis de varias tendencias: clasicismo, romanticismo, posromanticismo, germanismo, orientalismo, andalucismo, byronismo (derivado de Lord Byron, 1788-1824). No es pues un vulgar seguidor de Heine o de Byron. De aquí la dificultad de encuadrarlo en uno u otro período en nuestro turbulento siglo XIX.

FRANCESC L. CARDONA

BIBLIOGRAFÍA

ALCINA, FRANCH y CARDONA, A. *Rimas y Leyendas, Gustavo Adolfo Bécquer*, Barcelona, Bruguera, 1977.

ALONSO, DÁMASO. *Poetas españoles contemporáneos*, Madrid, Gredos, 1978.

BALBÍN, RAFAEL DE. *Poética becqueriana*, Madrid, Ed. Prensa Española, 1969.

BENÍTEZ, RUBÉN. *Bécquer tradicionalista*, Madrid, Gredos, 1971.

BROWN, RICA. *Bécquer*, Barcelona, Aedos, 1963.

CELAYA, GABRIEL. «La metapoesía de Gustavo Adolfo Bécquer», en *Exploración de la poesía*, Barcelona, Seix y Barral, 1975.

CERNUDA, LUIS. «Gustavo Adolfo Bécquer», en *Estudios sobre poesía española contemporánea*, Madrid, Guadarrama, 1975.

CRESPO LLOREDA, José Ángel. *Gustavo Adolfo Bécquer, Rimas y Leyendas*, Madrid, Anaya, 1991.

DÍAZ, JOSÉ PEDRO. *Gustavo Adolfo Bécquer, Vida y poesía*, Madrid, Gredos, 1971.

DÍEZ-TABOADA, JUAN MARÍA. *La mujer ideal. Aspectos y fuentes de las rimas de Gustavo Adolfo Bécquer*, Madrid, CSIC, 1965.

GARCÍA VIÑÓ, MANUEL. *Mundo y trasmundo de las Leyendas de Bécquer*, Madrid, Gredos, 1970.

GUILLÉN, JORGE. «Bécquer o lo inefable soñado», *Lenguaje y poesía*, Madrid, Alianza, 1969.

MONTESINOS, RAFAEL. *Bécquer: Biografía e imagen*, Barcelona, R.M., 1977.

PALOMAR ROS, JOSÉ y SOLÉ CAMPS, SALVADOR. Introducción, notas, ejercicios y glosario a *Rimas. Cartas literarias a una mujer*, Humanitas, Barcelona, 1985.

PALOMO, Mª DEL PILAR. *Gustavo Adolfo Bécquer, Rimas/ Leyendas/ Cartas desde mi celda*, Barcelona, Planeta, 1992.

RÍO, ÁNGEL DEL. *Historia de la Literatura Española*, 2º tomo, Barcelona, Bruguera, 1982.

TORRES, JOSÉ CARLOS DE. Edición, introducción y notas a *Rimas*, Clásicos Castalia, Madrid, 1992.

RIMAS Y POEMAS

de

Gustavo Adolfo Bécquer

INTRODUCCIÓN SINFÓNICA

Por los tenebrosos rincones de mi cerebro acurrucados y desnudos duermen los extravagantes hijos de mi fantasía, esperando en silencio que el Arte los vista de la palabra para poderse presentar decentes en la escena del mundo.

Fecunda, como el lecho de amor de la Miseria y parecida a esos padres que engendran más hijos de los que pueden alimentar, mi Musa concibe y pare en el misterioso santuario de la cabeza, poblándola de creaciones sin número a las cuales ni mi actividad ni todos los años que me restan de vida serían suficientes a dar forma.

Y aquí dentro, desnudos y deformes, revueltos y barajados en indescriptible confusión, los siento a veces agitarse y vivir con una vida oscura y extraña, semejante a la de esas miríadas de gérmenes que hierven y se estremecen en una eterna incubación dentro de las entrañas de la tierra, sin encontrar fuerzas bastantes para salir a la superficie y convertirse al beso del sol en flores y frutos.

Conmigo van, destinados a morir conmigo, sin que de ellos quede otro rastro que el que deja un sueño de la medianoche que a la mañana no puede recordarse. En algunas ocasiones, y ante esta idea terrible, se subleva en ellos el instinto de la vida y agitándose en terrible, aunque silencioso tumulto, buscan en tropel por donde salir a la luz, de las tinieblas en que viven. Pero ¡ay!, que entre el mundo de la idea y el de la forma existe un abismo que sólo puede salvar la palabra, y la palabra tímida y perezosa se niega a secundar sus esfuerzos. Mudos, sombríos e impotentes, después de la inútil lucha vuelven a caer en su antiguo marasmo. Tal caen inertes en los surcos de las sendas, si cesa el viento las hojas amarillas que levantó el remolino.

Estas sediciones de los rebeldes hijos de la imaginación explican algunas de mis fiebres: ellas son la causa desconocida para la ciencia de mis exaltaciones y mis abatimientos. Y así, aunque mal vengo viviendo hasta aquí: paseando por entre la indiferente multitud esta silenciosa tempestad de mi cabeza. Así vengo viviendo; pero todas las cosas tienen un término y a éstas hay que ponerles punto.

El Insomnio y la Fantasía siguen y siguen procreando en monstruoso maridaje. Sus creaciones apretadas ya, como las raquíticas plantas de un vivero, pugnan por dilatar su fantástica existencia disputándose los átomos de la memoria como el escaso jugo de una tierra estéril. Necesario es abrir paso a las aguas profundas, que acabarán por romper el dique, diariamente aumentadas por un manantial vivo.

¡Andad, pues; andad y vivid con la única vida que puedo daros! Mi inteligencia os nutrirá lo suficiente para que seáis palpables. Os vestirá, aunque sea de harapos, lo bastante para que no avergüence vuestra desnudez. Yo quisiera forjar para cada uno de vosotros una maravillosa estrofa tejida de frases exquisitas en la que os pudierais envolver con orgullo como en un cuarto de púrpura. Yo quisiera poder cincelar la forma que ha de conteneros como se cincela el vaso de oro que ha de guardar un preciado perfume. ¡Mas es imposible!

No obstante necesito descansar: necesito, del mismo modo que se sangra el cuerpo por cuyas hinchadas venas se precipita la sangre con pletórico empuje, desahogar el cerebro insuficiente a contener tantos absurdos.

Quedad pues consignados aquí, como la estela nebulosa que señala el paso de un desconocido cometa: como los átomos dispersos de un mundo en embrión que aventa por el aire la muerte antes que su creador haya podido pronunciar el *fiat lux* que separa la claridad de las sombras.

No quiero que en mis noches sin sueño volváis a pasar por delante de mis ojos en extravagante procesión, pidiéndome con gestos y contorsiones que os saque a la vida de la realidad del limbo en que vivís semejantes a fantasmas sin consistencia. No quiero que al romperse esta arpa vieja y cascada ya, se pierdan a la vez que el instrumento las ignoradas notas que contenía. Deseo ocuparme un poco del mundo que me rodea pudiendo, una vez vacío, apartar los ojos de este otro mundo que llevo dentro de la cabeza. El sentido común que es la barrera de los sueños comienza a flaquear y las gentes de diversos campos se mezclan y confunden. Me cuesta trabajo saber qué cosas he soñado y cuáles me han sucedido: mis afectos se reparten entre fantasmas de la imaginación y personajes reales; mi memoria clasifica revueltos nombres y fechas de mujeres y días que han muerto o han pasado con los de días y mujeres que no han existido sino en mi mente. Preciso es acabar arrojándolos de la cabeza de una vez para siempre.

Si *morir es dormir,* quiero dormir en paz en la noche de la muerte sin que vengáis a ser mi pesadilla, maldiciéndome por haberos condenado a la nada antes de haber nacido. Id, pues, al mundo a cuyo contacto fuisteis engendrados y quedad en él como el eco que encontraron en un alma que paseó por la tierra sus alegrías y sus dolores, sus esperanzas y sus luchas.

Tal vez muy pronto tendré que hacer la maleta para el gran viaje: de una hora a otra puede desligarse el espíritu de la materia para remontarse a regiones más puras. No quiero, cuando esto suceda, llevar conmigo como el abigarrado equipaje de un saltimbanqui el tesoro de oropeles y guiñapos que ha ido acumulando la fantasía en los desvanes del cerebro.

Junio de 1868

RIMAS

I

Yo sé un himno gigante y extraño
que anuncia en la noche del alma una aurora,
y estas páginas son de ese himno
cadencias que el aire dilata en las sombras.

Yo quisiera escribirlo, del hombre
domando el rebelde mezquino idioma,
con palabras que fuesen a un tiempo
suspiros y risas, colores y notas.

Pero en vano es luchar; que no hay cifra
capaz de encerrarle, y apenas, ¡oh hermosa!,
si teniendo en mis manos las tuyas
pudiera al oído cantártelo a solas.

II

Saeta que voladora
cruza arrojada al azar,
y que no se sabe dónde
temblando se clavará;

Hoja que del árbol seca
arrebata el vendaval,
sin que nadie acierte el surco
donde al polvo volverá;

Gigante ola que el viento
riza y empuja en el mar,
y rueda y pasa, y se ignora
qué playa buscando va.

Luz que en cercos temblorosos
brilla próxima a expirar
y que no se sabe de ellos
cuál el último será.

Eso soy yo, que al acaso
cruzo el mundo sin pensar
de dónde vengo ni a dónde
mis pasos me llevarán.

III

Sacudimiento extraño
que agita las ideas
como huracán que empuja
las olas en tropel.

Murmullo que en el alma
se eleva y va creciendo
como volcán que sordo
anuncia que va a arder.

Deformes siluetas
de seres imposibles,

paisajes que aparecen
como al través de un tul,

Colores que fundiéndose
remedan en el aire los
átomos del Iris
que nadan en la luz,

Ideas sin palabras,
palabras sin sentido
cadencias que no tienen
ni ritmo ni compás,

Memorias y deseos
de cosas que no existen,
accesos de alegría,
impulsos de llorar,

Actividad nerviosa
que no halla en qué emplearse,
sin rienda que le guíe
caballo volador,

Locura que el espíritu
exalta y desfallece,
embriaguez divina
del genio creador,

¡Tal es la inspiración!

Gigante voz que el caos
ordena en el cerebro
y entre las sombras hace
la luz aparecer,

Brillante rienda de oro
que poderosa enfrena
de la exaltada mente
el volador corcel,

Hilo de luz que en haces
los pensamientos ata,
sol que las nubes rompe
y toca en el cenit.

Inteligente mano
que en collar de perlas
consigue las indóciles
palabras reunir,

Armonioso ritmo
que con cadencia y número
las fugitivas notas
encierra en el compás,

Cincel que el bloque muerde
la estatua modelando,
y la belleza plástica
añade a la ideal,

Atmósfera en que giran
con orden las ideas
cual átomos que agrupa
recóndita atracción,

Raudal en cuyas ondas
su ser la fiebre apaga,
oasis que al espíritu
devuelve su vigor.

¡Tal es nuestra razón!

Con ambas siempre en lucha,
y de ambas vencedor
tan sólo al genio es dado
a un yugo atar las dos.

IV

No digáis que agotado su tesoro
de asuntos falta enmudeció la lira:
podrá no haber poetas; pero siempre
habrá poesía.

Mientras las ondas de la luz al beso
palpiten encendidas,
mientras el sol las desgarradas nubes
de fuego y oro vista,
mientras el aire en su regazo lleve
perfumes y armonías,
mientras haya en el mundo primavera,
¡habrá poesía!

Mientras la ciencia a descubrir no alcance
las fuentes de la vida,
y en el mar o en el cielo haya un abismo
que al cálculo resista,
mientras la humanidad siempre avanzando
no sepa a dó camina,
mientras haya un misterio para el hombre,
¡habrá poesía!

Mientras se sienta que se ríe el alma,
sin que los labios rían;
mientras se llore sin que el llanto acuda
a nublar la pupila;
mientras el corazón y la cabeza
batallando prosigan,
mientras haya esperanzas y recuerdos
¡habrá poesía!

Mientras haya unos ojos que reflejen
los ojos que los miran,
mientras responda el labio suspirando
al labio que suspira,
mientras sentirse puedan en un beso
dos almas confundidas,
mientras exista una mujer hermosa,
¡habrá poesía!

V

Espíritu sin nombre
indefinible esencia,
yo vivo con la vida
sin formas de la idea.

Yo nado en el vacío
del sol tiemblo en la hoguera,
palpito entre las sombras
y floto con las nieblas.

Yo soy el fleco de oro
de la lejana estrella,
yo soy de la alta luna
la luz tibia y serena.

Yo soy la ardiente nube
que en el ocaso ondea,
yo soy del astro errante
la luminosa estela.

Yo soy nieve en las cumbres,
soy fuego en las arenas,
azul onda en los mares
y espuma en las riberas

En el laúd soy nota,
perfume en la violeta,
fugaz llama en las tumbas
y en las ruinas yedra.

Yo atrueno en el torrente
y silbo en la centella,
y ciego en el relámpago
y rujo en la tormenta.

Yo río en los alcores,
susurro en la alta yerba,
suspiro en la onda pura
y lloro en la hoja seca.

Yo ondulo con los átomos
del humo que se eleva
y al cielo lento sube
en espiral inmensa.

Yo en los dorados hilos
que los insectos cuelgan,
me mezo entre los árboles
en la ardorosa siesta.

Yo corro tras las ninfas
que en la corriente fresca
del cristalino arroyo
desnudas juguetean.

Yo, en bosques de corales
que alfombran blancas perlas,
persigo en el océano
las náyades ligeras.

Yo en las cavernas cóncavas
do el sol nunca penetra,
mezclándome a los gnomos
contemplo sus riquezas.

Yo busco de los siglos
las ya borradas huellas,
y sé de esos imperios
de que ni el nombre queda.

Yo sigo en raudo vértigo
los mundos que voltean,
y mi pupila abarca
la creación entera.

Yo sé de esas regiones
a do un rumor no llega,
y donde informes astros
de vida un soplo esperan.

Yo soy sobre el abismo
el puente que atraviesa,
yo soy la ignota escala
que el cielo une a la tierra.

Yo, en fin, soy ese espíritu,
desconocida esencia,
perfume misterioso
de que es vaso el poeta.

VI

Como la brisa que la sangre orea
sobre el oscuro campo de batalla,
cargada de perfumes y armonías
en el silencio de la noche vaga;

Símbolo del dolor y la ternura
del bardo inglés en el horrible drama,
la dulce Ofelia, la razón perdida,
cogiendo flores y cantando pasa.

VII

Del salón en el ángulo oscuro,
de su dueña tal vez olvidada,
silenciosa y cubierta de polvo,
veíase el arpa.

¡Cuánta nota dormía en sus cuerdas
como el pájaro duerme en las ramas,
esperando la mano de nieve
que sabe arrancarlas!

¡Ay! pensé; ¡cuántas veces el genio
así duerme en el fondo del alma

y una voz como Lázaro espera
que le diga «Levántate y anda»!

VIII

Cuando miro el azul horizonte
perderse a lo lejos,
al través de una gasa de polvo
dorado e inquieto;
me parece imposible arrancarme
del mísero suelo
y flotar con la niebla dorada
en átomos leves
cual ella deshecho.

Cuando miro de noche en el fondo
oscuro del cielo
las estrellas temblar como ardientes
pupilas de fuego;
me parece posible a do brillan
subir en un vuelo
y anegarme en su luz, y con ellas
en lumbre encendido
fundirme en un beso.
En el mar de la duda en que bogo
ni aún sé lo que creo;
sin embargo, estas ansias me dicen
que yo llevo algo
divino aquí dentro.

IX

Besa el aura que gime blandamente
las leves ondas que jugando riza,
el sol besa a la nube en occidente
y de púrpura y oro la matiza,
la llama en derredor del tronco ardiente
por besar a otra llama se desliza
y hasta el sauce inclinándose a su peso
al río que le besa, vuelve un beso.

X

Los invisibles átomos del aire
en derredor palpitan y se inflaman,
el cielo se deshace en rayos de oro,
la tierra se estremece alborozada,
oigo flotando en olas de armonías
rumor de besos y batir de alas,
mis párpados se cierran... ¿Qué sucede?
—¡Es el amor que pasa!

XI

—Yo soy ardiente, yo soy morena,
yo soy el símbolo de la pasión,
de ansia de goces mi alma está llena:
¿A mí me buscas?
                        —No es a ti; no.

—Mi frente es pálida, mis trenzas de oro;
puedo brindarte dichas sin fin,

yo de ternuras guardo un tesoro:
¿A mí me llamas?
                          —No; no es a ti.

—Yo soy un sueño, un imposible,
vano fantasma de niebla y luz
soy incorpórea, soy intangible:
no puedo amarte.
                          —¡Oh, ven; ven tú!

XII

Porque son niña tus ojos
verdes como el mar, te quejas;
verdes los tienen las náyades,
verdes los tuvo Minerva,
y verdes son las pupilas
de las hurís del Profeta.

El verde es gala y ornato
del bosque en la primavera,
entre sus siete colores
brillante el Iris lo ostenta,
las esmeraldas son verdes,
verde el color del que espera
y las ondas del océano
y el laurel de los poetas.

Es tu mejilla, temprana
rosa de escarcha cubierta
en que el carmín de los pétalos
se ve a través de las perlas.
                Y sin embargo

sé que te quejas
porque tus ojos
crees que la afean:
pues no lo creas.

Que parecen tus pupilas
húmedas verdes e inquietas
tempranas hojas de almendro
que al soplo del aire tiemblan.

Es tu boca de rubíes
purpúrea granada abierta
que en el estío convida
a apagar la sed con ella.
        Y sin embargo
        sé que te quejas
        porque tus ojos
        crees que la afean:
        pues no lo creas.

Que parecen si enojada
tus pupilas centellean
las olas del mar que rompen
en las cantábricas peñas.

Es tu frente que corona
crespo el oro en ancha trenza
nevada cumbre en que el día
su postrera luz refleja.
        Y sin embargo
        sé que te quejas
        porque tus ojos
        crees que la afean:
        pues no lo creas.

Que entre las rubias pestañas
junto a las sienes semejan
broches de esmeralda y oro
que un blanco armiño sujetan.

Porque son niña tus ojos
verdes como el mar te quejas,
quizá si negros o azules
se tornasen lo sintieras.

XIII

Tu pupila es azul, y cuando ríes
su claridad suave me recuerda
el trémulo fulgor de la mañana
que en el mar se refleja.

Tu pupila es azul y cuando lloras
las transparentes lágrimas en ella
se me figuran gotas de rocío
sobre una violeta.

Tu pupila es azul, y si en su fondo
como un punto de luz radía una idea
me parece en el cielo de la tarde
una perdida estrella

XIV

Te vi un punto, y flotando ante mis ojos
la imagen de tus ojos se quedó,
como la mancha oscura orlada en fuego
que flota y ciega si se mira al sol.

Adonde quiera que la vista clavo
torno a ver tus pupilas llamear
mas no te encuentro a ti; que es tu mirada,
unos ojos, los tuyos; nada más.

De mi alcoba en el ángulo los miro
desasidos fantásticos lucir;
cuando duermo los siento que se ciernen
de par en par abiertos sobre mí.

Yo sé que hay fuegos fatuos que en la noche
llevan al caminante a perecer;
yo me siento arrastrado por tus ojos,
pero adonde me arrastran no lo sé.

XV

Cendal flotante de leve bruma,
rizada cinta de blanca espuma,
    rumor sonoro
    de arpa de oro,
beso del aura, onda de luz,
    eso eres tú.
Tú, sombra aérea, que cuantas veces
voy a tocarte te desvaneces.
¡Como la llama, como el sonido,
como la niebla, como el gemido
    del lago azul!

En mar sin playas onda sonante
en el vacío cometa errante,
    largo lamento

del ronco viento,
ansia perpetua de algo mejor,
eso soy yo.

¡Yo, que a tus ojos en mi agonía
los ojos vuelvo de noche y día;
yo, que, incansable corro y demente
tras una sombra, tras la hija ardiente
de una visión!

XVI

Si al mecer las azules campanillas
de tu balcón,
crees que suspirando pasa el viento
murmurador,
sabe que oculto entre las verdes hojas
suspiro yo.

Si al resonar confuso a tus espaldas
vago rumor,
crees que por tu nombre te ha llamado
lejana voz,
sabe que entre las sombras que te cercan
te llamo yo.

Si se turba medroso en la alta noche
tu corazón,
al sentir en tus labios un aliento
abrasador,
sabe que aunque invisible al lado tuyo
respiro yo.

XVII

Hoy la tierra y los cielos me sonríen,
hoy llega al fondo de mi alma el sol,
hoy la he visto... la he visto y me ha mirado...
¡hoy creo en Dios!

XVIII

Fatigada del baile,
encendido el color, breve el aliento,
apoyada en mi brazo,
del salón se detuvo en un extremo.

Entre la leve gasa
que levantaba el palpitante seno,
una flor se mecía
en compasado y dulce movimiento.

Como en cuna de nácar
que empuja el mar y que acaricia el céfiro
tal vez allí dormía
al soplo de sus labios entreabiertos.

¡Oh!, ¡quién así, pensaba,
dejar pudiera deslizarse el tiempo!
¡Oh! si las flores duermen,
¡qué dulcísimo sueño!

XIX

Cuando sobre el pecho inclinas
la melancólica frente,
una azucena tronchada
me pareces.

Porque al darte la pureza
de que es símbolo celeste,
como a ella te hizo Dios
de oro y nieve.

XX

Sabe si alguna vez sus labios rojos
quema invisible atmósfera abrazada,
que el alma que hablar puede con los ojos
también puede besar con la mirada.

XXI

¿Qué es poesía?, dices mientras clavas
en mi pupila tu pupila azul;
¡Qué es poesía! ¿Y tú me lo preguntas?
Poesía... eres tú.

XXII

¿Cómo vive esa rosa que has prendido
junto a tu corazón?

Nunca hasta ahora contemplé en el mundo
junto al volcán la flor.

XXIII

Por una mirada, un mundo:
por una sonrisa, un cielo:
por un beso..., yo no sé
qué te diera por un beso.

XXIV

Dos rojas lenguas de fuego
que a un mismo tronco enlazadas
se aproximan, y al besarse
forman una sola llama;

Dos notas que del laúd
a un tiempo la mano arranca,
y en el espacio se encuentran
y armoniosas se abrazan;

Dos olas que vienen juntas
a morir sobre una playa
y que al romper se coronan
con un penacho de plata;

Dos jirones de vapor
que del lago se levantan
y al juntarse allá en el cielo
forman una nube blanca;

Dos ideas que al par brotan,
dos besos que a un tiempo estallan,
dos ecos que se confunden...
eso son nuestras dos almas.

XXV

Cuando en la noche te envuelven
las alas de tul del sueño
y tus tendidas pestañas
semejan arcos de ébano,
por escuchar los latidos
de tu corazón inquieto
y reclinar tu dormida
cabeza sobre mi pecho,
diera, alma mía,
cuanto poseo.
¡la luz el aire
y el pensamiento!

Cuando se clavan tus ojos
en un invisible objeto
y tus labios ilumina
de una sonrisa el reflejo,
por leer sobre tu frente
el callado pensamiento
que pasa como la nube
del mar sobre el ancho espejo,
diera, alma mía,
cuanto deseo,
¡la fama, el oro,
la gloria, el genio!

Cuando enmudece tu lengua
y se apresura tu aliento
y tus mejillas se encienden
y entornas tus ojos negros,
por ver entre tus pestañas
brillar con húmedo fuego
la ardiente chispa que brota
del volcán de los deseos,
diera, alma mía,
por cuanto espero,
¡la fe, el espíritu,
la tierra, el cielo!

XXVI

Voy contra mi interés, al confesarlo,
no obstante, amada mía,
pienso, cual tú, que una oda sólo es buena
de un billete del Banco al dorso escrita.
No faltará algún necio que al oírlo
se haga cruces y diga:
Mujer al fin del siglo diez y nueve
material y prosaica... ¡Boberías!

¡Voces que hacen correr cuatro poetas
que en invierno se embozan con la lira!
¡Ladridos de los perros a la luna!
Tú sabes y yo sé que en esta vida
con genio es muy contado el que la
escribe y con oro cualquiera *hace* poesía.

XXVII

Despierta, tiemblo al mirarte:
dormida, me atrevo a verte;
por eso, alma de mi alma,
yo velo mientras tú duermes.

Despierta ríes y al reír tus labios
inquietos me parecen
relámpagos de grana que serpean
sobre un cielo de nieve.

Dormida, los extremos de tu boca
pliega sonrisa leve,
suave como el rastro luminoso
que deja un sol que muere;

¡Duerme!

Despierta miras y al mirar tus ojos
húmedos resplandecen,
como la onda azul en cuya cresta
chispeando el sol hiere.

Al través de tus parpados, dormida;
tranquilo fulgor vierten
cual derrama de luz templado rayo
lámpara transparente.

¡Duerme!

Despierta hablas, y al hablar vibrantes
tus palabras parecen

lluvia de perlas que en dorada copa
se derrama a torrentes.

Dormida, en el murmullo de tu aliento
acompasado y tenue
escucho yo un poema que mi alma
enamorada entiende.

¡Duerme!

Sobre el corazón la mano
me he puesto porque no suene
su latido y de la noche
turbe la calma solemne.

De tu balcón las persianas
cerré ya porque no entre
el resplandor enojoso
de la aurora y te despierte.

¡Duerme!

XXVIII

Cuando entre la sombra oscura
perdida una voz murmura
turbando su triste calma,
si en el fondo de mi alma
la oigo dulce resonar;
dime: ¿es que el viento en sus giros
se queja, o que tus suspiros
me hablan de amor al pasar?

Cuando el sol en mi ventana
rojo brilla a la mañana,
y mi amor tu sombra evoca,
si en mi boca de otra boca
sentir creo la impresión;
dime: ¿es que ciego deliro,
o que un beso en un suspiro
me envía tu corazón?

Y en el luminoso día,
y en la alta noche sombría,
si en todo cuanto rodea
al alma que te desea
te creo sentir y ver;
dime: ¿es que toco y respiro
soñando, o que en un suspiro
me das tu aliento a beber?

XXIX

La bocca mi baciò tutto tremante.

DANTE

Sobre la falda tenía
el libro abierto,
en mi mejilla tocaban
sus rizos negros:
no veíamos las letras
ninguno creo,
mas guardábamos ambos
hondo silencio.
¿Cuánto duró? Ni aun entonces
pude saberlo.

Sólo sé que no se oía
más que el aliento,
que apresurado escapaba
del labio seco.
Sólo sé que nos volvimos
los dos a un tiempo,
y nuestros ojos se hallaron
¡y sonó un beso!
… … … … … … … … …
… … … … … … … … …
Creación de Dante era el libro,
era su Infierno,
cuando a él bajamos los ojos
yo dije trémulo:
—¿Comprendes ya que un poema
cabe en un verso?
Y ella respondió encendida:
—¡Ya lo comprendo!

XXX

Asomaba a sus ojos una lágrima
y a mi labio una frase de perdón;
habló el orgullo y se enjugó el llanto,
y la frase en mis labios expiró.

Yo voy por un camino: ella, por otro;
pero al pensar en nuestro mutuo amor,
yo digo aún, ¿por qué callé aquel día?
ella dirá, ¿por qué no lloré yo?

XXXI

Nuestra pasión fue un trágico sainete
en cuyo absurda fábula
lo cómico y lo grave confundidos
risas y llanto arrancan.

Pero fue lo peor de aquella historia
que al fin de la jornada
a ella tocaron lágrimas y risas
y a mí, sólo las lágrimas.

XXXII

Pasaba arrolladora en su hermosura
y el paso le dejé,
ni aun a mirarla me volví y no obstante
algo a mi oído murmuró «ésa es».

¿Quién reunió la tarde a la mañana?
Lo ignoro: sólo sé
que en una breve noche de verano
se unieron los crepúsculos y «fue».

XXXIII

Es cuestión de palabras, y no obstante
ni tú ni yo jamás
después de lo pasado convendremos
en quién la culpa está.

¡Lástima que el Amor un diccionario
no tenga dónde hallar
cuándo el orgullo es simplemente orgullo
y cuándo es dignidad!

XXXIV

Cruza callada, y son sus movimientos
silenciosa armonía:
suenan sus pasos; y al sonar recuerdan
del himno alado la cadencia rítmica.

Los ojos entreabre, aquellos ojos
tan claros como el día,
y la tierra y el cielo, cuanto abarcan
arden con nueva luz en sus pupilas.

Ríe, y su carcajada tiene notas
del agua fugitiva:
llora, y es cada lágrima un poema
de ternura infinita.

Ella tiene la luz, tiene el perfume,
el color y la línea,
la forma, engendradora de deseos,
la expresión, fuente eterna de poesía.

¿Qué es estúpida? ¡Bah! mientras callando
guarde oscuro el enigma,
siempre valdrá lo que yo creo que calla
más de lo que cualquiera otra me diga.

XXXV

¡No me admiró tu olvido! Aunque de un día,
me admiró tu cariño mucho más;
porque lo que hay en mí que vale algo,
eso... ni lo pudiste sospechar.

XXXVI

Si de nuestros agravios en un libro
se escribiese la historia,
y se borrase en nuestras almas cuanto
se borrase en sus hojas.

¡Te quiero tanto aún: dejó en mi pecho
tu amor huellas tan hondas,
que sólo con que tú borrases una,
las borraba yo todas!

XXXVII

Antes que tú me moriré: escondido
en las entrañas ya
el hierro llevo con que abrió tu mano
la ancha herida mortal.

Antes que tú me moriré: y mi espíritu
en su empeño tenaz
se sentará a las puertas de la muerte,
esperándote allá.

Con las horas los días, con los días
los años volarán,
y a aquella puerta llamarás al cabo...
¿Quién deja de llamar?

Entonces que tu culpa y tus despojos
la tierra guardará,
lavándote en las ondas de la muerte
como en otro Jordán:

Allí donde el murmullo de la vida
temblando a morir va,
como la ola que a la playa viene
silenciosa a expirar:

Allí donde el sepulcro que se cierra
abre una eternidad,
todo cuanto los dos hemos callado
allí lo hemos de hablar.

XXXVIII

Los suspiros son aire y van al aire.
Las lágrimas son agua y van al mar.
Dime, mujer, cuando el amor se olvida
¿sabes tú adónde va?

XXXIX

¿A qué me lo decís? Lo sé: es mudable,
es altanera y vana y caprichosa:

antes que el sentimiento de su alma,
brotará el agua de la estéril roca.

Sé que en su corazón, nido de sierpes,
no hay una fibra que al amor responda;
que es una estatua inanimada..., pero...
¡es tan hermosa!

XL

Su mano entre mis manos,
sus ojos en mis ojos,
la amorosa cabeza
apoyada en mi hombro,
Dios sabe cuántas veces
con paso perezoso
hemos vagado juntos
bajo los altos olmos
que de su casa prestan
misterio y sombra al pórtico.
Y ayer... un año apenas,
pasado como un soplo,
¡con qué exquisita gracia,
con qué admirable aplomo,
me dijo al presentarnos
un amigo oficioso!:
«Creo que en alguna parte
he visto a usted.» ¡Ah! bobos
que sois de los salones
comadres de buen tono
y andabais allí a caza
de galanes embrollos;

¡qué historia habéis perdido,
qué manjar tan sabroso
para ser devorado
sotto voce en un corro
detrás del abanico
de plumas y de oro!...
... ...
¡Discreta y casta luna,
copudos y altos olmos,
paredes de su casa,
umbrales de su pórtico,
callad, y que el secreto
no salga de vosotros,
callad; que por mi parte
yo lo he olvidado todo:
y ella... ella, no hay máscara
semejante a su rostro!

XLI

Tú eras el huracán y yo la alta
torre que desafía su poder:
¡tenías que estrellarte o que abatirme!...
¡No pudo ser!

Tú eras el océano y yo la enhiesta
roca que firme aguardaba su vaivén:
¡tenías que romperte o que arrancarme!...
¡No pudo ser!

Hermosa tú, yo altivo: acostumbrados
uno a arrollar el otro a no ceder;

la senda estrecha, inevitable el choque...
¡No pudo ser!

XLII

Cuando me lo contaron sentí el frío
de una hoja de acero en las entrañas,
me apoyé contra el muro, y un instante
la conciencia perdí de donde estaba.

Cayó sobre mi espíritu la noche,
en ira y en piedad se anegó el alma
¡y entonces comprendí por qué se llora!
¡y entonces comprendí por qué se mata!

Pasó la nube de dolor... con pena
logré balbucear breves palabras...
¿quién me dio la noticia?... Un fiel amigo...
Me hacía un gran favor... Le di las gracias.

XLIII

Dejé la luz a un lado, y en el borde
de la revuelta cama me senté,
mudo, sombrío, la pupila inmóvil
clavada en la pared.

¿Qué tiempo estuve así? No sé: al dejarme
la embriaguez horrible del dolor,
expiraba la luz y en mis balcones
reía el sol.

Ni sé tampoco en tan terribles horas
en qué pensaba o qué pasó por mí;
sólo recuerdo que lloré y maldije
y que en aquella noche envejecí.

XLIV

Como en un libro abierto
leo de tus pupilas en el fondo;
¿A qué fingir el labio
risas que se desmienten con los ojos?

¡Llora! No te avergüences
de confesar que me quisiste un poco.
¡Llora! Nadie nos mira.
Ya ves; yo soy un hombre... y también lloro.

XLV

En la clave del arco mal seguro
cuyas piedras el tiempo enrojeció,
obra de cincel rudo campeaba
el gótico blasón.

Penacho de su yelmo de granito,
la yedra que colgaba en derredor
daba sombra al escudo en que una mano
tenía un corazón.

A contemplarle en la desierta plaza
nos paramos los dos:

Y, ése, me dijo, es el cabal emblema
de mi constante amor.

¡Ay! es verdad lo que me dijo entonces:
verdad que el corazón
lo llevará en la mano... en cualquier parte...
pero en el pecho no.

XLVI

Me ha herido recatándose en las sombras,
sellando con un beso su traición.
Los brazos me echó al cuello y por la espalda
partióme a sangre fría el corazón.

Y ella prosigue alegre su camino
feliz, risueña, impávida, ¿y por qué?
Porque no brota sangre de la herida,
porque el muerto está en pie.

XLVII

Yo me he asomado a las profundas simas
de la tierra y del cielo,
y les he visto el fin, o con los ojos,
o con el pensamiento.

Mas, ¡ay! de un corazón llegué al abismo
y me incliné un momento,
y mi alma y mis ojos se turbaron:
¡Tan hondo era y tan negro!

XLVIII

Como se arranca el hierro de una herida
su amor de las entrañas me arranqué,
aunque sentí al hacerlo que la vida
¡me arrancaba con él!

Del altar que le alcé en el alma mía
la voluntad su imagen arrojó,
y la luz de la fe que en ella ardía
ante el ara desierta se apagó.

Aun para combatir mi empeño
viene a mi mente su visión tenaz...
¡Cuándo podré dormir con ese sueño
en que acaba el soñar!

XLIX

Alguna vez la encuentro por el mundo
y pasa junto a mí:
y pasa sonriéndose y yo digo:
¿Cómo puede reír?

Luego asoma a mi labio otra sonrisa
máscara de dolor,
y entonces pienso: Acaso ella se ríe,
como me río yo.

L

Lo que el salvaje que con torpe mano
hace de un tronco a su capricho un dios

y luego ante su obra se arrodilla,
eso hicimos tú y yo.

Dimos formas reales a un fantasma
de la mente ridícula invención
y hecho el ídolo ya, sacrificamos
en su altar nuestro amor.

LI

De lo poco de vida que me resta
diera con gusto los mejores años,
por saber lo que a otros
de mí has hablado.

Y esta vida mortal y de la eterna
lo que me toque, si me toca algo,
por saber lo que a solas
de mí has pensado.

LII

Olas gigantes que os rompéis bramando
en las playas desiertas y remotas,
envuelto entre la sábana de espumas,
¡llevadme con vosotras!

Ráfagas de huracán que arrebatáis
del alto bosque las marchitas hojas,
arrastrado en el ciego torbellino,
¡llevadme con vosotras!

Nubes de tempestad que rompe el rayo
y en fuego ornáis las desprendidas orlas,
arrebatado entre la niebla oscura,
¡llevadme con vosotras!

Llevadme por piedad adonde el vértigo
con la razón me arranque la memoria.
¡Por piedad! ¡Tengo miedo de quedarme
con mi dolor a solas!

LIII

Volverán las oscuras golondrinas
en tu balcón sus nidos a colgar,
y otra vez con el ala a tus cristales
jugando llamarán.

Pero aquellas que el vuelo refrenaban
tu hermosura y mi dicha a contemplar,
aquellas que aprendieron nuestros nombres...
ésas... ¡no volverán!

Volverán las tupidas madreselvas
de tu jardín las tapias a escalar
y otra vez a la tarde aún más hermosas
sus flores se abrirán.

Pero aquellas cuajadas de rocío
cuyas gotas mirábamos temblar
y caer como lágrimas del día...
ésas... ¡no volverán!

Volverán del amor en tus oídos
las palabras ardientes a sonar
tu corazón de su profundo sueño
tal vez despertará.

Pero mudo y absorto y de rodillas
como se adora a Dios ante su altar,
como yo te he querido..., desengáñate,
nadie así te amará.

LIV

Cuando volvemos las fugaces horas
del pasado a evocar,
temblando brilla en sus pestañas negras
una lágrima pronta a resbalar.

Y al fin resbala y cae como gota
del rocío al pensar
que cual hoy por ayer, por hoy mañana
volveremos los dos a suspirar.

LV

Entre el discorde estruendo de la orgía
acarició mi oído
como nota de música lejana
el eco de un suspiro.

El eco de un suspiro que conozco,
formado de un aliento que he bebido

perfume de una flor que oculta crece
en un claustro sombrío.

Mi adorada de un día, cariñosa
—¿En qué piensas?, me dijo:
—En nada... —En nada ¿y lloras? —Es que tengo
alegre la tristeza y triste el vino.

LVI

Hoy como ayer, mañana como hoy,
¡y siempre igual!
un cielo gris, un horizonte eterno
y andar... andar.

Moviéndose a compás como una estúpida
máquina el corazón:
la torpe inteligencia del cerebro
dormida en un rincón.

El alma, que ambiciona un paraíso,
buscándole sin fe.
Fatiga sin objeto, ola que rueda
ignorando por qué.

Voz que incesante con el mismo tono
canta el mismo cantar.
Gota de agua monótona que cae
y cae sin cesar.

Así van deslizándose los días
unos de otros en pos,

hoy lo mismo que ayer... y todos ellos
sin gozo ni dolor.

¡Ay, a veces me acuerdo suspirando
del antiguo sufrir!
¡Amargo es el dolor; pero siquiera
padecer es vivir!

LVII

Este armazón de huesos y pellejo
de pasear una cabeza loca
se halla cansado al fin y no lo extraño
pues aunque es la verdad que no soy viejo,

de la parte de vida que me toca
en la vida del mundo, por mi daño
he hecho un uso tal, que juraría
que he condensado un siglo en cada día.

Así, aunque ahora muriera
no podría decir que no he vivido;
que el sayo al parecer nuevo por fuera,
conozco que por dentro ha envejecido.

Ha envejecido, sí; ¡pese a mi estrella!
harto lo dice ya mi afán doliente;
que hay dolor que al pasar, su horrible huella
graba en el corazón, si no en la frente.

LVIII

¿Quieres que de ese néctar delicioso
no te amargue la hez?
Pues aspírale, acércale a tus labios
y déjale después.

¿Quieres que conservemos una dulce
memoria de este amor?
Pues amémonos hoy mucho y mañana
digámonos, ¡adiós!

LIX

Yo sé cuál el objeto
de tus suspiros es,
yo conozco la causa de tu dulce
secreta languidez.
¿Te ríes…? Algún día
sabrás, niña, por qué.
Tú acaso lo sospechas,
        y yo lo sé.

Yo sé cuando tú sueñas,
y lo que en sueños ves,
como en un libro, puedo lo que callas
en tu frente leer.
¿Te ríes...? Algún día
sabrás, niña, por qué.
Tú acaso lo sospechas,
        y yo lo sé.

Yo sé por qué sonríes
y lloras a la vez:
yo penetro en los senos misteriosos
de tu alma de mujer.
¿Te ríes...? Algún día
sabrás, niña, por qué;
mientras tú sientes mucho y nada sabes,
yo, que no siento ya, todo lo sé.

LX

Mi vida es un erial,
flor que toco se deshoja;
que en mi camino fatal
alguien va sembrando el mal
para que yo lo recoja.

LXI

Al ver mis horas de fiebre
e insomnio lentas pasar,
a la orilla de mi lecho
¿quién se sentará?

Cuando la trémula mano
tienda próxima a expirar
buscando una mano amiga,
¿quién la estrechará?

Cuando la muerte vidríe
de mis ojos el cristal,

mis párpados aún abiertos
¿quién los cerrará?

Cuando la campana suene
(si suena en mi funeral)
una oración al oírla
¿quién murmurará?
Cuando mis pálidos restos
oprima la tierra ya,
sobre la olvidada fosa
¿quién vendrá a llorar?

Quién en fin al otro día
cuando el sol vuelva a brillar
de que pasé por el mundo
¿quién se acordará?

LXII

Primero es un albor trémulo y vago
raya de inquieta luz que corta el mar
luego chispea y crece y se dilata
en ardiente explosión de claridad.

La brilladora lumbre es la alegría,
la temerosa sombra es el pesar:
¡Ay!, en la oscura noche de mi alma
¿cuándo amanecerá?

LXIII

Como enjambre de abejas irritadas,
de un oscuro rincón de la memoria
de las pasadas horas
salen a perseguirme los recuerdos

Yo los quiero ahuyentar. ¡Esfuerzo inútil!
Me rodean, me acosan,
y unos tras otros a clavarme vienen
el agudo aguijón que el alma encona.

LXIV

Como guarda el avaro su tesoro,
guardaba mi dolor;
le quería probar que hay algo eterno
a la que eterno me juró su amor.

Mas hoy le llamo en vano y oigo al tiempo
que le agotó, decir:
¡Ah, barro miserable! ¡Eternamente
no podrás ni aun sufrir!

LXV

Llegó la noche y no encontré un asilo
¡y tuve sed...!, mis lágrimas bebí;
¡tuve hambre! ¡Los hinchados ojos
cerré para morir!

¿Estaba en un desierto? Aunque a mi oído
de las turbas llegaba el ronco hervir
yo era huérfano y pobre... el mundo
desierto... ¡para mí!

LXVI

¿De dónde vengo? El más horrible y áspero
de los senderos busca;
las huellas de unos pies ensangrentados
sobre la roca dura;
los despojos de un alma hecha jirones
en las zarzas agudas,
te dirán el camino
que conduce a mi cuna.

¿Adónde voy? El más sombrío y triste
de los páramos cruza,
valle de eternas nieves y de eternas
melancólicas brumas.
En donde esté una piedra solitaria
sin inscripción alguna,
donde habite el olvido,
allí estará mi tumba.

LXVII

¡Qué hermoso es ver el día
coronado de fuego levantarse,
y a su beso de lumbre
brillar las olas y encenderse el aire!

¡Qué hermoso es tras la lluvia
del triste otoño en la azulada tarde,
de las húmedas flores
el perfume aspirar hasta saciarse!

¡Qué hermoso es cuando en copos
la blanca nieve silenciosa cae,
de las inquietas llamas
ver rojizas lenguas agitarse!

¡Qué hermoso es cuando hay sueño
dormir bien... y roncar como un sochantre...,
y comer... y engordar... y qué fortuna
que esto sólo no baste!

LXVIII

No sé lo que he soñado
en la noche pasada.
Triste muy triste debió ser el sueño
pues despierto la angustia me duraba.
Noté al incorporarme
húmeda la almohada, y
por primera vez sentí al notarlo
de un amargo placer henchirse el alma.

Triste cosa es el sueño
que llanto nos arranca,
mas tengo en mi tristeza una alegría...
sé que aún me quedan lágrimas.

LXIX

Al brillar de un relámpago nacemos
y aún dura su fulgor cuando morimos;
¡tan corto es el vivir!

La gloria y el amor tras que corremos
sombras de un sueño son que perseguimos;
¡despertar es morir!

LXX

¡Cuántas veces al pie de las musgosas
paredes que la guardan,
oí la esquila que al mediar la noche
a los maitines llama!

¡Cuántas veces trazó mi triste sombra
la luna plateada
junto a la del ciprés que de su huerto
se asoma por las tapias!

Cuando en sombras la iglesia se envolvía,
de su ojiva calada
¡cuántas veces temblar sobre los vidrios
vi el fulgor de la lámpara!

Aunque el viento en los ángulos oscuros
de la torre silbara,
del coro entre las voces percibía
su voz vibrante y clara.

En las noches de invierno si un medroso
por la desierta plaza
se atrevía a cruzar, al divisarme
el paso aceleraba.

Y no faltó una vieja que en el torno
dijese a la mañana,
que de algún sacristán muerto en pecado
acaso era yo el alma.

A oscuras conocía los rincones
del atrio y la portada;
de mis pies las ortigas que allí crecen
las huellas tal vez guardan.

Los búhos que espantados me seguían
con sus ojos de llamas,
llegaron a mirarme con el tiempo
como a un buen camarada.

A mi lado sin miedo los reptiles
se movían a rastras,
¡hasta los mudos santos de granito
creo que me saludaban!

LXXI

No dormía; vagaba en ese limbo
en que cambian de forma los objetos,
misteriosos espacios que separan
la vigilia del sueño.
Las ideas que en ronda silenciosa

daban vueltas en torno a mi cerebro,
poco a poco en su danza se movían
con un compás más lento.

De la luz que entra al alma por los ojos
los párpados velaban el reflejo;
mas otra luz el mundo de visiones
alumbraba por dentro.

En este punto resonó en mi oído
un rumor semejante al que en el templo
vaga confuso al terminar los fieles
con un *Amén* sus rezos.

¡Y oí como una voz delgada y triste
que por mi nombre me llamó a lo lejos,
y sentí olor de cirios apagados
de humedad y de incienso!
... ...
... ...
Entró la noche y del olvido en brazos
caí cual piedra en su profundo seno:
Dormí y al despertar exclamé: «¡Alguno
que yo quería ha muerto!»

LXXII

PRIMERA VOZ

Las ondas tienen **vaga armonía**,
las violetas suave olor,
brumas de plata la noche fría,

luz y oro el día,
yo algo mejor;
¡yo tengo *Amor*!

SEGUNDA VOZ

Aura de aplausos, nube radiosa,
ola de envidia que besa el pie,
isla de sueños donde reposa
el alma ansiosa,
dulce embriaguez
la *Gloria* es!

TERCERA VOZ

Ascua encendida es el tesoro,
sombra que huye la vanidad.
Todo es mentira: la gloria, el oro,
        lo que yo adoro
        sólo es verdad;
        ¡la *Libertad*!

Así los barqueros pasaban cantando
        la eterna canción
y al golpe del remo saltaba la espuma
        y heríala el sol.

—¿Te embarcas?, gritaban. Y yo sonriendo
        les dije al pasar:
—Yo ya he embarcado; por cierto que aún tengo
        la ropa en la playa tendida a secar.

LXXIII

Cerraron sus ojos
que aún tenía abiertos,
taparon su cara
con un blanco lienzo,
y unos sollozando,
otros en silencio
de la triste alcoba
todos se salieron.

La luz que en un vaso
ardía en el suelo
al muro arrojaba
la sombra del lecho
y entre aquella sombra
veíase a intervalos
dibujarse rígida
la forma del cuerpo.

Despertaba el día,
y a su albor primero
con sus mil ruidos
despertaba el pueblo.
Ante aquel contraste
de vida y misterio,
de luz y tinieblas,
yo pensé un momento:
*¡Dios mío, qué solos
se quedan los muertos!*

De la casa en hombros
lleváronla al templo

y en una capilla
dejaron el féretro.
Allí rodearon
sus pálidos restos
de amarillas velas
y de paños negros.

Al dar de las Ánimas
el toque postrero,
acabó una vieja
sus últimos rezos,
cruzó la ancha nave,
las puertas gimieron,
y el santo recinto
quedóse desierto.

De un reloj se oía
compasado el péndulo
y de algunos cirios
el chisporroteo.
Tan medroso y triste,
tan oscuro y yerto
todo se encontraba
que pensé un momento:
¡Dios mío, qué solos
se quedan los muertos!

De la alta campana
la lengua de hierro
le dio volteando
su adiós lastimero.
El luto en las ropas,
amigos y deudos

cruzaron en fila
formando el cortejo.

Del último asilo,
oscuro y estrecho,
abrió la piqueta
el nicho a un extremo:
allí la acostaron,
tapiáronle luego
y con un saludo
despidióse el duelo.

La piqueta al hombro
el sepulturero
cantando entre dientes
se perdió a lo lejos.
La noche se entraba
el sol se había puesto:
perdido en las sombras
yo pensé un momento:
¡Dios mío, qué solos
 se quedan los muertos!

En las largas noches
del helado invierno,
cuando las maderas
crujir hace el viento
y azota los vidrios
el fuerte aguacero,
de la pobre niña
a veces me acuerdo.

Allí cae la lluvia
con un son eterno,

allí la combate
el soplo del cierzo.
Del húmedo muro
tendida en el hueco,
¡acaso de frío
se hielan los huesos...!

… … … … … … …

¿Vuelve el polvo al polvo?
¿Vuela el alma al cielo?
¿Todo es sin espíritu
podredumbre y cieno?
¡No sé; pero hay algo
que explicar no puedo,
algo que repugna
aunque es fuerza hacerlo,
a dejar tan tristes,
tan solos los muertos!

LXXIV

Las ropas desceñidas,
desnudas las espaldas,
en el dintel de oro de la puerta
dos ángeles velaban.
Me aproximé a los hierros
que defienden la entrada,
y de las dobles rejas en el fondo
la vi confusa y blanca.

La vi como la imagen
que en leve ensueño pasa,

como rayo de luz tenue y difuso
que entre tinieblas anda.

Me sentí de un ardiente
deseo llena el alma;
como atrae un abismo, aquel misterio
hacia sí me arrastraba.

Mas, ¡ay! que de los ángeles
parecían decirme las miradas
—El umbral de esta puerta
sólo Dios lo traspasa.

LXXV

¿Será verdad que cuando toca el sueño
con sus dedos de rosa nuestros ojos,
de la cárcel que habita huye el espíritu
en vuelo presuroso?

¿Será verdad que huésped de las nieblas,
de la brisa nocturna al tenue soplo,
alado sube a la región vacía
a encontrarse con otros?

¿Y allí desnudo de la humana forma,
allí los lazos terrenales rotos,
breves horas habita de la idea
el mundo silencioso?

¿Y ríe y llora y aborrece y ama
y guarda un rastro del dolor y el gozo,

semejante al que deja cuando cruza
el cielo un meteoro?

Yo no sé si ese mundo de visiones
vive fuera o va dentro de nosotros:
Pero sé que conozco a muchas gentes
a quienes no conozco.

LXXVI

En la imponente nave
del templo bizantino,
vi la gótica tumba a la indecisa
luz que temblaba en los pintados vidrios.

Las manos sobre el pecho,
y en las manos un libro,
una mujer hermosa reposaba
sobre la urna del cincel prodigio.

Del cuerpo abandonado
al dulce peso hundido,
cual si de banda pluma y raso fuera
se plegaba su lecho de granito.

De la sonrisa última
el resplandor divino
guardaba el rostro, como el cielo guarda
del sol que muere el rayo fugitivo.

Del cabezal de piedra
sentados en el filo,

dos ángeles, el dedo sobre el labio,
imponían silencio en el recinto.

No parecía muerta;
de los arcos macizos
parecía dormir en la penumbra
y que en sueños veía el paraíso.

Me acerqué de la nave
al ángulo sombrío
con el callado paso que llegamos
junto a la cuna donde duerme un niño.

La contemplé un momento,
y aquel resplandor tibio,
aquel lecho de piedra que ofrecía
próximo al muro otro lugar vacío.

En el alma avivaron
la sed de lo infinito,
el ansia de esa vida de la muerte
para la que un instante son los siglos...
... ...
... ...
Cansado del combate
en que luchando vivo,
alguna vez me acuerdo con envidia
de aquel rincón oscuro y escondido.

De aquella muda y pálida
mujer me acuerdo y digo:
¡Oh, qué amor tan callado, el de la muerte!
¡Qué sueño el del sepulcro, tan tranquilo!

LXXVII

Dices que tienes corazón, y sólo
lo dices porque sientes sus latidos;
eso no es corazón... es una máquina
que al compás que se mueve hace ruido.

LXXVIII

Fingiendo realidades
con sombra vana,
delante del Deseo
va la Esperanza.

Y sus mentiras
como el Fénix renacen
de sus cenizas.

LXXIX

Una mujer me ha envenenado el alma,
otra mujer me ha envenenado el cuerpo;
ninguna de las dos vino a buscarme,
yo de ninguna de las dos me quejo.

Como el mundo es redondo, el mundo rueda.
Si mañana, rodando, este veneno
envenena su vez, ¿por qué acusarme?
¿Puedo dar más de lo que a mí me dieron?

LXXX

Es un sueño la vida,
pero un sueño febril que dura un punto;
cuando de él se despierta,
se ve que todo es vanidad y humo...

¡Ojalá fuera un sueño
muy largo y muy profundo,
un sueño que durara hasta la muerte...!
Yo soñaría con mi amor y el tuyo.

LXXXI

AMOR ETERNO

Podrá nublarse el sol eternamente;
podrá secarse en un instante el mar;
podrá romperse el eje de la tierra
como un débil cristal.
¡Todo sucederá! Podrá la muerte
cubrirme con su fúnebre crespón;
pero jamás en mí podrá apagarse
la llama de tu amor.

LXXXII

A CASTA

Tu aliento es el aliento de las flores;
tu voz es de los cisnes la armonía;

es tu mirada el esplendor del día;
y el color de la rosa es tu color.

Tú prestas nueva vida y esperanza
a un corazón para el amor ya muerto;
tú creces de mi vida en el desierto
como crece en el páramo la flor.

LXXXIII

LA GOTA DE ROCÍO

La gota de rocío que en el cáliz
duerme de la blanquísima azucena,
es el palacio de cristal en donde
vive el genio feliz de la pureza.

Él le da su misterio y poesía,
él su aroma balsámico le presta;
¡ay, de la flor si de la luz al beso
se evapora esa perla!

LXXXIV

Lejos y entre los árboles
de la intrincada selva
¿no ves algo que brilla
y llora? Es una estrella.

Ya se la ve más próxima,
como a través de un tul,

de una ermita en el pórtico
brillar. Es una luz.

De la carrera rápida
el término está aquí.
Desilusión. No es lámpara ni estrella
la luz que hemos seguido: es un candil.

LXXXV

A TODOS LOS SANTOS
(1.° de noviembre)

Patriarcas que fuisteis la semilla
del árbol de la fe en siglos remotos,
al vencedor divino de la muerte
rogadle por nosotros.

Profetas que rasgasteis inspirados
del porvenir el velo misterioso
al que sacó la luz de las tinieblas
rogadle por nosotros.

Almas cándidas, Santos Inocentes
que aumentáis de los ángeles el coro,
al que llamó a los niños a su lado
rogadle por nosotros.

Apóstoles que echasteis en el mundo
de la Iglesia el cimiento poderoso,
al que es de la verdad depositario
rogadle por nosotros.

Mártires que ganasteis vuestra palma
en la arena del circo, en sangre roja,
al que os dio fortaleza en los combates
rogadle por nosotros.

Vírgenes semejantes a azucenas,
que el verano vistió de nieve y oro,
al que es fuente y hermosura
rogadle por nosotros.

Monjes que de la vida en el combate
pedisteis paz al claustro silencioso,
al que es iris de calma en las tormentas
rogadle por nosotros.

Doctores cuyas plumas nos legaron
de virtud y saber rico tesoro,
al que es raudal de ciencia inextinguible
rogadle por nosotros.

Soldados del ejército de Cristo,
Santas y Santos todos,
rogadle que perdone nuestras culpas
a Aquel que vive y reina entre vosotros.

LXXXVI

EN EL ÁLBUM DE LA SRA. DOÑA...

Solitario, triste y mudo
hállase aquel cementerio;
sus habitantes no lloran...
¡Qué felices son los muertos!

PRIMEROS POEMAS

ODA A LA MUERTE
DE DON ALBERTO LISTA

Lágrimas de pesar verted, y el rostro
en señal de dolor, cubrid, doncellas,
las liras destemplad y vuestros cantos
    lúgubres suenen.

La vil ceniza del cabello cubra
los sueltos rizos que, volando al aire,
digan al par que vuestros ayes tristes:
    «Murió el poeta.»

¿Oís? «¡Murió!», repiten asustadas,
con flébil voz, las Musas, y, aterrado,
también Apolo con dolor repite:
    «Murió por siempre.»

Pero mirad, mirad. Ya Melpomene
de entre el lloroso grupo se levanta,
toma la lira y con acento triste
    canta; escuchemos.

«¿Quién cortó —dice— la preciosa vida
del cisne de la Bética? ¿Qué mano

impía, de las ondas siempre claras
del Betis, arrancó su amado hijo?

¿Quién fue el osado?

Llorad, Musas, llorad, y descompuestas
las trenzas del cabello dad al viento;
la Parca fue quien de su vida el hilo
       cortó inmutable.

¿Y no temiste? ¿La segura mano
al descargar el golpe no temblaba?
¿Su respetable ancianidad, sus años,
       no te movieron?»

                    (Sevilla, octubre de 1848)

ELVIRA
(Fragmentos del Poema)

I

El ancho mar undoso
en calma está; la moribunda luna
hiere y argenta las rizadas olas;
en el bosque se escucha el doloroso
clamor con que a los cielos importuna,
tristísima y a solas,
la dulce Filomena, entre las flores
su desgracia llorando y sus amores.

Arcángel del dolor, el negro velo
rasga con que la noche tenebrosa

encubre el hondo mar y el ancho suelo;
el aura vagarosa
suelta en rizos la blonda cabellera,
la túnica ligera,
que tus formas encubre, iluminada
del genio que vacila so tu frente,
so tu frente, que ciñes con sombría.
… … … … … … … … … …

II

Del claro sol, la frente
tras de las cumbres del cercano monte
se ocultaba, los aires encendiendo;
azul y refulgente
brillaba entre la niebla el horizonte,
entre la parda niebla que, envolviendo
trigos y montes, valles y praderas,
los objetos, fantástica, perdía,
en tanto que se oía
de las aves parleras
los cantares dulcísimos sonando
y en los vecinos bosques expirando...
… … … … … … … … … …

III

… … … … … … … … … …
el triste arcángel del dolor inspira;
y su fúnebre acento
una lágrima ardiente
quizás arrancará, y un verde lauro
digna corona a mi abrasada frente;

lauro que, en prenda de tu amor y el mío,
iré a poner sobre tu mármol frío.

Y entonces...; mas no puedo;
tú, arcángel del dolor, toma la lira;
con acentos más dignos de mi Elvira
prosigue tú este canto
que ahoga en mis labios el acerbo llanto.

                     (Sevilla, hacia 1852 [?])

ODA A LA SEÑORITA LENONA
EN SU PARTIDA

¿Y te vas? ¿Y del Betis placentero
abandonas las márgenes floridas?
¿Y el llanto lastimero,
y las amargas lágrimas vertidas
por tus amigos en el trance fuerte,
bastantes no serán a detenerte?

¿Y de tus negros y brillantes ojos
ya no veremos el fulgor divino?
¿Y de tus labios rojos
no escucharemos más el peregrino
acento que resuena
más dulce que el cantar de Filomena?

¡Ah! ¡No partas, cruel! Mira el sagrado
Betis cuál alza de laurel ceñida,
la frente arrebatada,
la nueva al escuchar de tu partida;

así con triste acento
te dice, mientras calla el raudo viento:

«Hermosa ninfa de mi verde orilla,
gala del prado, gloria de este suelo,
del seno de Sevilla
no salgas, no; tu transparente cielo
y sus pintadas flores
para ti guardarán luz y colores.

Y el tierno, dulce, armonioso canto
de tus vates dirá la gentileza,
y con ramos de mirto sacrosanto
con tiernas rosas de sin par belleza,
con acacia luciente,
sus bellas hijas ornarán tu frente.

No partas; los amigos murmurando
conmigo te lo dicen; las pintadas
alondras ensayando
su canto en las vecinas enramadas,
y el tierno jilguerillo,
lo mismo piden con trinar sencillo.

No marches, no; que aquí las purpurinas,
las gualdas, blancas y pintadas flores,
a tus plantas divinas
de alfombra servirán; y sus olores,
del céfiro llevados,
tendrán estos lugares perfumados.

El sacro Dios, así, que no te ausentes,
te ruega, de sus prados extendidos;

mis cantares dolientes
así también lo pedirán; perdidos
no lleven mis acentos,
sin escucharlos tú, los leves vientos.

No partas; no te ausentes de este suelo
que tu belleza y tu candor admira;
no en mudo desconsuelo
dejes del vate la sonora lira;
evita a la pradera
el triste luto que sin ti la espera.

Pero tú no me oyes, y al lejano
confín donde el vascón tiene su asiento
te marchas, do el insano
ábrego silba con furor violento,
donde la nieve viste
el encumbrado monte, el valle triste.

No allí se escuchan de las tiernas aves,
al despuntar la sonrosada aurora,
los cánticos suaves,
la música bellísima y sonora,
la dulce melodía
con que saludan el fulgor del día.

Ni, como el nuestro, su extendido cielo
es de un azul tan puro y tan brillante;
las flores de su suelo
no tienen un aroma tan fragante,
ni corren tan sonoras
las cristalinas fuentes bullidoras.

¿Y lo sabes? ¿Y el prado venturoso,
que el Betis baña, con presteza dejas?
¿Y de los que llorosos
te ven partir, las dolorosas quejas
no escuchas, ni el lamento
con que turban tristísimos el viento?...

¡Ah, detente..., detente!... Pero en vano,
en vano es todo ya, porque la hora
sonó y hacia el lejano
vascón a partir vas; la última aurora
ya lució que te viera
en su seno la hispálica ribera.

Todo es inútil ya, y en tu nevada
frente la candidez y la nobleza
no veremos pintada;
de tu boca divina, la belleza
tampoco ya veremos,
ni el candor de tu faz admiraremos.

¡Oh, nunca yo te hubiera conocido
si tan pronto debiera de perderte!
¡Oh, nunca hubiera herido
mi corazón tu acento, si tan fuerte
instante me esperaba,
si dolor tan no visto me aguardaba!

¡Adiós!... Tú, cuando partas de estos prados
que en llanto dejas y en dolor sumidos,
sobre tu frente de marfil nevado
las raudas alas batirá el olvido;
pero los que te pierden,
¿habrá un momento que de ti no acuerden?

¡Adiós! Escucha el canto postrimero
que te consagra mi inexperta lira;
acento es verdadero
del entusiasmo que en mi pecho inspira
tu angelical pureza,
tu incomparable y celestial belleza.

Si benigna lo acoges, solamente
te pido que si acaso en algún día
recuerdas el luciente
cielo de la risueña Andalucía;
si acuerdas los colores
de su ribera y sus fragantes flores,

al pasar por tu mente candorosa,
cual mágica visión, sus encantados
vergeles, do la rosa
luce y el lirio de color morado,
las transparentes linfas
del Betis raudo y sus hermosas ninfas,

me mires en la orilla matizada
de claveles y cándidos jazmines,
con cítara dorada,
haciendo que sus mágicos jardines
repitan en tu honor y tu alabanza
los dulces ayes que mi lira lanza.

Y entonces un recuerdo placentero
consagra al que por ti suspira y llora,
al que con verdadero
y triste acento, al par de la canora

música de los tiernos ruiseñores,
cantará junto al Betis tus loores.

(Sevilla, 17 de setiembre de 1852)

FRAGMENTOS

¡Cuántas veces también, en la colina
donde te dije adiós, suspensa el alma,
mirar creía con el ardoroso
polvo que mi caballo levantaba!..
Y de mis tristes ojos, conociendo
el engaño, una lágrima brotaba.

Y dudarlo podrás, ¡oh!, cuántas veces,
al tiempo que del sol tras las montañas
se ocultaba la frente, y de los bosques
descendían las sombras enlutadas,
al cantar melancólico del ave
mis ardientes suspiros se juntaban...

¡Oh! Cuántas noches en sereno vuelo,
el espacio cruzar la plateada
luna veía y de mis tristes penas,
en mi ilusión, la causa le contaba...
Ella, al par que estos campos silenciosos,
también tu noble frente iluminaba.

• • •

¿Quién es la ninfa de inmortal belleza
que al dulce son de la agradable lira,
con célica esbelteza,

danzar el alma arrebatada mira
y entrega al vagaroso
viento la trenza del cabello undoso?

¿Quién es la que la blonda cabellera
de rosa ostenta y de laurel ceñida;
la que hiende ligera
el espacio, y descendida
parece de la altura
su belleza inmortal y su hermosura?

¿Quién es la que, ceñida al blanco velo,
en torno muestra la nevada frente?
¿La que en rápido vuelo
cruza y esbelta entrégale al ambiente,
con grata donosura,
la cándida, flotante vestidura?

Desde la pura celestial morada
del Olimpo parece descendida;
el fuego, en su mirada
de la lumbre inmortal brilla encendida,
y en su mejilla hermosa
el color del jazmín y de la rosa.

Como a orillas del lago cristalino
se doblega la caña silbadora,
su talle, peregrino
se mece, y es la gracia que atesora
y la presteza tanta,
que apenas toca el suelo con la planta.

El fuego del amor arde en sus ojos,
el carmín de la rosa en sus mejillas

se muestra, y en los rojos
labios divinos de su boca brilla
sonrisa encantadora,
que roba el corazón y lo enamora.

· · ·

La luna entre las nubes se escondía;
en silenciosa oscuridad el valle
yacía perdido; sólo interrumpía
la profunda quietud que allí reinaba
el viento, que formaba,
en el vecino bosque dilatado,
un ruido manso, lento, compasado...

SONETO

Homero cante a quien su lira Clío
le dio, y con ella inspiración divina,
de Troya malhadada la ruina,
del ciego Aquiles el esfuerzo y brío.

Ensalcen de Alejandro el poderío
ante cuyo valor su frente inclina,
con asombro la sierra que ilumina
el sol desde la Libia al Norte frío.

Que yo del Betis en la orilla, cuando
luce la aurora, y las gallardas flores
se desplegan el aura embalsamando,

cantaré de las selvas los amores,
los suspiros del céfiro imitando
y el dulce lamentar de los pastores.

(1853)

AL CÉFIRO

Céfiro dulce, que vagando alado
entre las frescas, purpurinas flores,
con blando beso robas sus olores,
para extenderlos por el verde prado,

las quejas de mi afán y mi cuidado
lleva a la que, al mirar, mata de amores,
y dile que un alivio a mis dolores
dé y un consuelo al ánimo angustiado.

Pero no vayas, no; que si la vieras
y, tomando sus labios por claveles,
el aroma gustar de ellos quisieras,

cual con las otras flores hacer sueles,
aunque a mi mal el término pusieras,
tendría de tu acción celos crueles.

(Sevilla, hacia 1854)

LA PLEGARIA Y LA CORONA

(Romance)

Como la blanca azucena
que en el solitario valle

al suspiro de la brisa
desplega el cerrado cáliz,
tan pura como son puros
los pensamientos de un ángel,
y más cándida y más bella
que la aurora cuando nace,
en pudor y dulces gracias,
en gentileza y donaire,
crece la hermosa María
hija del conde don Jaime.
Crece; mas no olvida nunca
que antes de morir, su madre
mostróle en llanto bañada
del Redentor una imagen.
Que le mandó que a su lecho
de muerte, se aproximase,
y con ternura le dijo
estas amorosas frases:

«Hija del alma, María,
así los cielos te guarden
y no permitan que el soplo
funesto de las maldades,
el cristal de tu pureza
con hálito vil empañe;
que me jures por mi nombre
que al declinar de la tarde,
cuando a oración y a silencio
las tristes campanas llamen,
elevarás tu plegaria
del Redentor a la madre;
ella que mi guarda ha sido
también tu inocencia guarde.

Adiós: de la muerte el velo
ya sobre mis ojos cae...
Adiós, hija, adiós, María:
nunca olvides este instante.»

… … … … … … … … …

Desde entonces cuando cierra
la flor sus hojas brillantes,
y el último canto ensayan,
al bosque huyendo, las aves;
de purpurinos claveles,
de blancas rosas fragantes,
de nacarados jazmines
y de violetas suaves,
entreteje una corona;
y cuando llevan los aires
el eco de la campana
que a oración llamando tañe,
de la Reina de los Cielos
con ella adorna la imagen,
y le dice: «Madre mía,
tomad la ofrenda que os hace
un corazón que os adora:
mas que expresarlo no sabe.»

… … … … … … … … …

Al ver los rizos de oro
que sobre su frente caen,
al mirar su gentileza
y sus ojos donde arde
el fuego de la virtud,

fuera equivocadla fácil
con el ángel misterioso
que al expirar de la tarde,
presta su aliento a las flores
ya próximas a plegarse.
Quieran los cielos divinos
que a su promesa no falte;
que cuando al mar de la vida
con sus virtudes se lance
la plegaria y la corona
que ofrece a la santa imagen,
serán para su inocencia
un escudo impenetrable.

(Sevilla, 17 de marzo de 1854)

¡LAS DOS!

(Juguete romántico)

Silenciosa está la noche,
apenas suspira el viento,
sólo algún perdido acento
turba su calma y quietud.

Serena por el espacio,
callada la luna sube,
platea la blanca nube
su tibio rayo de luz.

Sorda y con lento compás,
en una iglesia lejana

suena una triste campana
y da una hora: las dos.

¡Las dos! Hora misteriosa
de fantasmas y hechiceras,
de espectros y de quimeras
que nos inspiran terror;

en que el sepulcro abandonan,
por las magas evocados
y en un velo rebozados,
los que dejaron de ser.

Hora que si en el hogar,
cuando narra una conseja,
la escucha crédula vieja,
se la ve palidecer.

En la que gime en las torres
el cárabo lastimero
y ensaya el búho agorero
su fatídico graznar.

El gallo canta, y susurra
melancólica la fuente
escuchándose doliente
el ronco aullido del can.

¡Las dos! Quizás esta hora
una virgen anhelante
cuenta, esperando al amante
que se tarda en acudir.

Tal vez en su calabozo
marca esa hora perdida
una menos de su vida
al reo que va a morir.

Tal vez algún asesino
las dos estaba esperando
con impaciencia, probando
la punta de su puñal.

Y ese reloj impasible,
con su vibración sonora,
anuncia la infausta hora
de la muerte al criminal.

¡Las dos! Quizás el sonido
funeral de esa campana
espera la cortesana
para una cita de amor.

Quizás será la postrera
que, antes de partir del mundo,
oye triste el moribundo
en su lecho de dolor.

Tal vez vuelan a esta hora
las brujas con algazara,
que Belcebú convocara
a un diabólico festín.

Y al pasar cerca del lecho
donde duerme un ángel puro,
lanzan horrible conjuro
con maldiciones sin fin.

Que es hora en que el temerario
con asombro se estremece
y aterrado palidece
sin acertar el porqué.

En que las Wils misteriosas
que a los mortales encantan,
de la tierra se levantan
por un oculto poder.

Hora extraña que parece
de más tarda vibración,
de más fantástico son
y otro diverso compás.

Mas que a pesar de los sueños
con que la adorna la mente,
es completa, exactamente,
lo mismo que las demás.

ANACREÓNTICA

Toma la lira, toma
la de cuerdas doradas
y dame la que alegres
las flores engalanan,
en la que Anacreonte,
con gresca y algazara,
en tiempo del dios Baco
los néctares cantaba.
Corre, muchacho, corre;
de traérmela acaba,

que ya espero impaciente
la hora de pulsarla;
ve, corre, y presuroso
a Flérida me llamas,
la de los ojos negros,
la de la linda cara,
y dile que con ella
se vengan las muchachas
amigas, que tejiendo
con flores mil guirnaldas
en torno de mi frente
las ceñirán ufanas,
al par que me provoquen
con sus ligeras danzas.
También bajo los olmos
que prestan sombra grata,
y donde con sonoras
voces las aves cantan,
ponme, ponme una mesa,
al par cómoda y ancha,
y en ella me colocas
la copa venerada
por todos los amigos
del néctar de las parras,
aquella en que la historia
de Baco está grabada,
sus valerosos hechos,
sus ínclitas hazañas;
aquella que las vides
la tienen enredada,
la que en mejores tiempos
Elpino me donara.
Elpino, el más famoso

de los que en la comarca
grabaron con destreza
las copas delicadas.
Corre, muchacho, corre;
de disponerlo acaba;
que ya espero impaciente
la hora de tomarla,
y cumplir de las Musas
las órdenes sagradas.

A QUINTANA

(Fantasía)

El genio de la luz sobre los mares
tiembla, se agita y su esplendor apaga,
en tanto que la noche silenciosa
álzase y tiende las oscuras alas.
El sol desapareció; con él las flores;
dejó el otero la gentil zagala,
y de las aves el cantar sonoro
en las sombrías arboledas calla.
Mas otras flores sus aromas vierten;
otra armonía en el espacio vaga,
melancólico son a cuyo acento
su cárcel rompe y se desprende el alma.
Las flores son que la diadema ciñen
con que la oscura noche se engalana;
son esas aves que al dormido mundo
himnos de muerte en el silencio cantan.
Las verdes olas de la mar suspiran,
acariciando las desiertas playas,

y entre los sauces de las tumbas gimen
con dulce soplo las ligeras auras.
Allá, en el seno de su Dios, la frente
con un blanco cendal de niebla orlada,
duerme la creación a esa armonía
que en los espacios misteriosa vaga.
Cándida virgen, que el pudor sus formas
de un tul de nieve cuidadoso ornara,
así en los brazos de su madre sueña
al son del viento y al rumor del agua.

• • •

Mas, ¿qué rumor dulcísimo, qué célica armonía
se escucha entre las hojas de la arboleda umbría,
y lo repite acorde el sosegado mar?
No es de sus verdes olas que expiran el lamento;
no es el cantar del ave, ni el suspirar del viento;
es una blanda música, ignota, celestial.
Un ángel, que la bóveda del cielo que llamea
rasgó, y en cuya frente inquieta centellea
una corona vivida de esplendorosa luz;
desciende vagaroso: como la espuma leve
es su ligera túnica; sus alas son de nieve;
las bate y toca rápido del mar sobre el azul.
El aquilón entonces, con la nevada espuma
alzando un remolino, y con la densa bruma
gigante al cielo sube magnifico dosel.
Las cristalinas ondas agítanse brillando;
de luz raudales lanza, los aires inflamando,
la frente del arcángel que se reclina en él.
¿Qué busca, qué, ese espíritu que, de la noche el velo
rasgando misterioso, de luz inunda el suelo?

¿A qué desciende al mundo? ¿Quién es? ¿Qué busca aquí?
Pero callad; él habla; su furia el mar enfrena,
los vientos enmudecen su dulce voz resuena,
su voz desconocida, que el eco imita así:

«La noche ha tendido su velo de sombras,
el cárabo gime con voz sepulcral;
alzad de las tumbas, poetas, la frente;
alzadla ceñida de lauro inmortal.

Yo soy el arcángel que dio a vuestros cantos
el fuego del alma, del genio el furor.
Venid; mientras duermen los hombres tranquilos,
que un mundo de sombras evoque mi voz.

De un nuevo poeta, de un genio gigante,
¿no oísteis la lira de oro pulsar?
¿El hondo silencio que reina en las tumbas
la voz de su fama no pudo turbar?

Venid y cantemos; cantemos su gloria;
su frente ciñamos de eterno laurel,
que a par de vosotros su nombre sea grande
que burle del tiempo la saña cruel.»

Dice el arcángel, y su voz divina
el céfiro conduce entre sus alas
y la lleva a expirar sobre las tumbas
que de los genios las cenizas guardan.
A su rumor las losas se estremecen;
de fosfórica luz ligeras llamas,
brotan de los sepulcros solitarios,
y al esplendor siniestro que derraman,

la sien ceñida de un laurel de oro,
las sombras de los vates se levantan.
Aquel es Osïán; sobre las cumbres
se eleva de Morven, do se mezclaban
en otra edad su voz y los bramidos
del viento y de las roncas cataratas.
El grande Herrera, el que cantó a Lepanto,
y el profundo murmurio de sus aguas,
del Betis en las márgenes floridas,
lleno de gloria y majestad se alza.
En la orilla del Arno, que aún repite
con dulzura los cánticos a Laura,
otra vez melancólico y amante
muestra su frente al inmortal Petrarca.
Y otros cien, que a los hombres admiraron,
abandonan sus tumbas solitarias
y vuelven silenciosos a la tierra
donde aún viven sus versos y su fama.
El arcángel, de pie sobre su trono,
les tiende una benévola mirada.
Va a hablarles; mas su voz interrumpiendo,
así Osïán, enardecido, exclama:

Osïán

Dadme el arpa de oro
que acompañar mis cánticos solía;
el arpa a cuyas notas respondía
el rudo choque del broquel sonoro,
que restallando herido en son de guerra,
hacía, a sus acentos,
gemir el valle y retumbar la sierra.

Dádmela, sí; que sobre la alta roca
que envuelve en torno la nevada bruma,
en donde airado choca
el furioso oleaje
con voz de trueno y con rabiosa espuma,
allí voy a cantar, no las hazañas
del fuerte soberano
de la antigua Morven; no las extrañas
naciones con que el rey del Océano
invadió nuestros lares,
abriéndose camino entre los mares.

No; que hora sólo mi entusiasmo inspira
la grandeza inmortal de un vate ibero,
que a la voz de su lira
hizo temblar el despotismo fiero.
Un vate a cuyas férvidas canciones
se animaron las tímidas legiones,
que, ardiendo en patriotismo,
abrieron un abismo
al monstruo usurpador de cien naciones.

… … … … … … … … … … … …

Yo de la oscura eternidad dormía
el dulce sueño, la cansada frente
reclinando en un sauce que crecía
solitario en la orilla del torrente.
Hondo silencio en derredor reinaba;
silencio que turbaba
el céfiro, las hojas agitando,
o el agua que las peñas
combatía, los bosques atronando.

Los siglos, a la voz omnipotente,
silenciosos huyendo
rodaban hacia el caos, hondamente
sobre la faz del mundo
las huellas de sus plantas imprimiendo.

Cuando escuché en mi tumba
insólita una voz, como el bramido
del mar al trueno unido
como la voz del huracán
que zumba azotando las copas resonantes
de los abetos de Cronlá gigantes.
Una voz cuyos tonos imitaban
los cantos que en un tiempo se escuchaban
en las selvas de Escocia, y al que rudo,
terrible, respondía
el choque de la lanza y el escudo.

Yo levanté la frente,
y desde el alto escollo
torné la vista inquieta al Occidente,
y en la nación hispana
miré, un pueblo aguerrido
que volaba a la lucha, enardecido
al eco de la lira de Quintana
¡*Quintana*! El vate que elevó su canto
sin temer al coloso,
que a la asombrada Europa estremecía;
el que dio generoso,
desde las altas cumbres de Fuenfría
en medio del horror y el mudo espanto,
de independencia el grito sacrosanto.

¡Oh! Si me diera el Cielo
un solo, un solo instante
de la altísima y ancha catarata
que desde el Inistora se desata,
el eco atronador y resonante;
quizás expresaría
la impresión que en mi alma
hizo su canto enérgico y valiente...
Mas ¡ay!, que es impotente
para poderlo hacer el arpa mía.

Vosotros, aquilones, que arrolláis
las nieblas de Morven en blancas olas;
vosotros, anchos mares, que azotáis
las erizadas costas españolas,
ya que mi voz no alcanza,
alzad con vuestro acento sobrehumano
un himno de alabanza
del sublime cantor del suelo hispano.

… … … … … … … … … … …

Calla Osïán; la vagarosa brisa
aún repite a lo lejos sus palabras,
cuando un hijo del Betis de este modo
el entusiasmo expresa de su alma:

Herrera

Álzase un monstruo, de la Tierra espanto,
en la cuna del sol, resplandeciente,
y el ibero derroca su alta frente
en las sangrientas aguas de Lepanto.

Viene otro siglo; en él, el sacrosanto
impulso del honor lánzase ardiente
y lucha en Trafalgar: eterna fuente,
para el ibero, de dolor y llanto.

Yo, enardecido, la grandeza hispana
canté; tú, su heroísmo en la agonía;
mas a tu inspiración, ¡oh gran *Quintana*!,
cedo humilde el lauro de la poesía;
como en el libro de oro de la Historia
Lepanto cede a Trafalgar su gloria.

… … … … … … … … … … …

Dice Herrera, y suave, armonioso,
en las floridas costas de la Italia,
escúchase un laúd, y en dulce canto
así se expresa el inmortal Petrarca:

Petrarca

Suave como el nombre de la mujer querida,
más grata que es al hombre la aurora de la vida,
celeste cual la virgen que crea la ilusión,
fugaz como el gemido del aura vagarosa,
más dulce que el ruido del agua armoniosa,
oí sonar distante, bellísima canción.

De la tumba a sus acentos
la cabeza levanté,
y las flores que la cubren
aparté.

«¿Quién es —dije— el que su lira
así sabe modular?
¿Es del Cielo algún espíritu
o un mortal?»

Torné la vista inquieta al continente ibero,
y en él vi que un poeta, dejando el casco fiero,
el formidable escudo, la lanza y el bridón;
trocando el arpa de oro en que a la lid llamaba
por un laúd sonoro, dulcísimo entonaba
un himno a la hermosura que roba el corazón.

«¿Quién —exclamé— es el genio cuya lira,
del corazón intérprete sincera,
ora entusiasmo bélico respira
ora paz y dulzura placentera,
e imitando ya el aura que suspira,
ya los bramidos de la trompa fiera,
es el asombro de la musa hispana?»
Y el eco, murmurando,
me respondió fugaz: *Ese es Quintana.*

Dice; abandona el laúd
el toscano vate, y calla;
y tras él, con dulce voz,
otros cien poetas cantan.

… … … … … …

Mas indecisa en Oriente
comienza a lucir el alba,
y en el cielo las estrellas
a perder su lumbre clara.

El ángel a los poetas
a su excelso trono llama,
y del laurel que la frente
les ciñe, una hoja arranca.
Con ellas una corona
teje al inmortal *Quintana*,
con suave movimiento
despliega las blancas alas,
y dejando en pos de sí
de luz brillante una ráfaga,
ligero cruza las nubes
que ya tornasola el alba.
Sube, sube, y cuando apenas
los ojos a verlo alcanzan;
cuando se tornan los vates
a sus tumbas funerarias,
así, suave y perdida,
se escucha su voz lejana:

El ángel

La pompa, el orgullo,
los goces, las penas,
las horas serenas
que brinda el amor;
del mundo las dichas,
el vano renombre,
los sueños del hombre,
su eterna ambición,

a impulsos del tiempo
al fin se concluyen,

y rápidos huyen
cual humo fugaz.
¿Qué habrá que no pase
cual sombra ilusoria?
Quintana, tu gloria,
tu gloria y no más.

Las torres soberbias
que hieren el viento
y eterno su asiento
juzgará su autor;
las altas columnas,
las fuertes ciudades
que en otras edades
el hombre elevó;

del tiempo al impulso
también se concluyen,
y rápidas huyen
cual humo fugaz.
¿Qué habrá de que quede
por siempre memoria?
Quintana, tu gloria,
tu gloria y no más.

POESÍAS ATRIBUIDAS

DE NOCHE

Apoyando mi frente calurosa
en el frío cristal de la ventana,
en el silencio de la oscura noche
de su balcón mis ojos no apartaba.

En medio de la sombra misteriosa
su vidriera lucía iluminada,
dejando que mi vista penetrase
en el puro santuario de su estancia.

Pálido como el mármol el semblante,
la blonda cabellera destrenzada,
acariciando sus sedosas ondas,
sus hombros de alabastro y su garganta,
mis ojos la veían, y mis ojos,
al verla tan hermosa, se turbaban.

Mirábase al espejo; dulcemente
sonreía a su bella imagen lánguida,
y sus mudas lisonjas al espejo
con un beso dulcísimo pagaba...

Mas la luz se apagó; la visión pura
desvanecióse como sombra vana,
y dormido quedé, dándome celos
el cristal que su boca acariciara.

SOY YO

Si copia tu frente
del río cercano la pura corriente
y miras tu rostro de amor encendido,
        soy yo, que me escondo
        del agua en el fondo
y loco de amores a amar te convido;
soy yo, que en tu pecho buscando morada,
envío a tus ojos mi ardiente mirada,
        mi llama divina...
y el fuego que siento la faz te ilumina.

Si en medio del valle
en tardo se trueca tu andar animado,
vacila tu planta, se pliega tu talle...
        soy yo, dueño amado,
        que en no vistos lazos
de amor anhelante, te estrecho en mis brazos;
soy yo, quien te teje la alfombra florida
que envuelve a tu cuerpo la fuerza y la vida;
        soy yo, que te sigo
en las alas del viento soñando contigo.

Si estando en tu lecho
escuchas acaso celeste armonía
que llena de goces tu cándido pecho,

soy yo, vida mía...
soy yo, que levanto
al cielo tranquilo mi férvido canto;
soy yo, que los aires cruzando ligero
por un ignorado movible sendero,
ansioso de calma,
sediento de amores, penetro en tu alma.

EL AMOR

Yo soy el rayo, la dulce brisa;
lágrima ardiente, fresca sonrisa;
flor peregrina, rama tronchada;
yo soy quien vibra,
flecha acerada.

Hay en mi esencia, como en las flores,
de mil perfumes suaves vapores;
y su fragancia fascinadora
trastorna el alma de quien adora.

Yo mis aromas doquier prodigo,
y el más horrible dolor mitigo;
y en grato, dulce, tierno delirio,
cambio el más dulce, cruel martirio.
¡Ay!, yo encadeno los corazones,
mas son de flores mis eslabones.

Navego por los mares,
voy por el viento;
alejo los pesares
del pensamiento.

Yo dicha o pena
reparto a los mortales
con faz serena

Poder terrible, que en mis antojos
brota sonrisas o brota enojos;
poder que abrasa un alma helada;
si airado vibro,
flecha acerada.

Doy las dulces sonrisas a las hermosas,
coloro sus mejillas de nieve y rosas;
humedezco sus labios, y a sus miradas
hago prometer dichas no imaginadas.
Yo hago amable el reposo, grato, halagüeño,
o alejo de los seres el dulce sueño.

Todo a mi poderío rinde homenaje,
todos a mi corona dan vasallaje;
soy amor, rey del mundo, niña tirana;
ámame, y tú la reina
serás mañana.

A ELISA

Para que los leas con tus ojos grises,
para que los cantes con tu clara voz,
para que llenen de emoción tu pecho
hice mis versos yo.
Para que encuentren en tu pecho asilo
y les des juventud, vida, calor,

tres cosas que yo no puedo darles,
hice mis versos yo.

Para hacerte gozar con mi alegría,
para que sufras tú con mi dolor,
para que sientas palpitar mi vida,
hice mis versos yo.

Para poder poner ante tus plantas
la ofrenda de mi vida y de mi amor,
con alma, sueños rotos, risas, lágrimas,
hice mis versos yo.

¿No has sentido en la noche,
cuando reina la sombra,
una voz apagada que canta
y una inmensa tristeza que llora?

¿No sentiste en tu oído de virgen
las siluetas y trágicas notas
que mis dedos de muerto arrancaban
a la lira rota?

¿No sentiste una lágrima mía
deslizarse en tu boca?
¿No sentiste mi mano de nieve
estrechar a la tuya de rosa?

¿No viste entre sueños
por el aire vagar una sombra,
ni sintieron tus labios un beso
que estalló misterioso en la alcoba?

Pues yo juro por ti, vida mía,
que te vi entre mis brazos, miedosa,
que sentí tu aliento de jazmín y nardo,
y tu boca pegada a mi boca.

ÍNDICE

PRIMEROS POEMAS

POESÍAS ATRIBUIDAS

• OTROS TÍTULOS DE ESTA COLECCIÓN •

• OTROS TÍTULOS DE ESTA COLECCIÓN •